VIAGEMAOCENTRODATERRA

JÚLIO VERNE

VIAGEM AO CENTRO DA TERRA

tradução
GUILHERME MIRANDA

‹ns
SÃO PAULO, 2022

Voyage au centre de la Terre
Viagem ao centro da Terra
Copyright © 2022 by Novo Século Editora Ltda.
Traduzido a partir do original disponível no Project Gutenberg.

EDITOR: Luiz Vasconcelos
COORDENAÇÃO EDITORIAL: Silvia Segóvia/João Paulo Putini
TRADUÇÃO: Guilherme Miranda
PREPARAÇÃO: Marileide Gomes
PROJETO GRÁFICO E DIAGRAMAÇÃO: João Paulo Putini
REVISÃO: Bel Ribeiro/Tássia Carvalho
ILUSTRAÇÃO DE CAPA: Gustavo Sazes

Texto de acordo com as normas do Novo Acordo Ortográfico da Língua Portuguesa (1990), em vigor desde 1º de janeiro de 2009.

**Dados Internacionais de Catalogação na Publicação (CIP)
Angélica Ilacqua CRB-8/7057**

Verne, Júlio, 1828-1905
Viagem ao centro da Terra
Júlio Verne ; tradução de Guilherme Miranda.
Barueri : Novo Século, 2022.
304 p. (Mestres primordiais)

ISBN 978-65-5561-305-6
Título original: Voyage au centre de la Terre

1. Ficção francesa I. Título II. Miranda, Guilherme III. Série

21-5088   CDD 843

Índice para catálogo sistemático:
1. Ficção francesa

Alameda Araguaia, 2190 – Bloco A – 11º andar – Conjunto 1111
CEP 06455-000 – Alphaville Industrial, Barueri – SP – Brasil
Tel.: (11) 3699-7107 | Fax: (11) 3699-7323
www.gruponovoseculo.com.br | atendimento@gruponovoseculo.com.br

Nunca se faz nada grande sem uma esperança exagerada.
JÚLIO VERNE

CAPÍTULO 1

No domingo, 24 de maio de 1863, meu tio, o professor Lidenbrock, voltou correndo para sua pequena casa, situada no número 19 da Königstrasse, uma das mais antigas ruas do centro histórico de Hamburgo.

Marthe achou que estava muito atrasada, pois o almoço tinha acabado de começar a chiar no forno da cozinha.

"Bom", pensei eu, "se estiver com fome, é provável que meu tio, o mais impaciente dos homens, dê gritos de fúria."

– Mas já, Sr. Lidenbrock! – exclamou a bondosa Marthe, estupefata, entreabrindo a porta da sala de jantar.

– Sim, Marthe, mas tem todo o direito de não ter terminado o almoço até agora; ainda não são catorze horas. O sino da Saint-Michel acabou de soar treze e trinta.

– Então, por que voltou, Sr. Lidenbrock?

– É ele quem provavelmente vai nos dizer.

– Ai, me livrei! Sr. Axel, faça que ele volte à razão.

E a boa Marthe voltou a seu laboratório culinário.

Fiquei sozinho. Mas fazer o mais irascível dos professores voltar à razão é algo que minha personalidade, um tanto quanto hesitante, não permitiria. Por isso, eu me preparava para voltar à segurança do meu quartinho no andar de cima quando as dobradiças da porta da rua rangeram; a escada de madeira estalou sob seus pés grandes e o dono da casa, depois de atravessar a sala de jantar, lançou-se imediatamente ao seu gabinete de trabalho.

Mas, durante essa passagem rápida, disparou num canto a bengala com cabeça de quebra-nozes e, sobre a mesa, o chapelão de fios arrepiados. Para mim, seu sobrinho, pronunciou as seguintes palavras:

– Axel, venha comigo!

Mal tive tempo de me mexer e o professor já gritava com um forte tom de impaciência:

– Ora essa! Por que já não está aqui?

Lancei-me ao gabinete do meu temível professor.

Admito, sem problemas, que Otto Lidenbrock não era maldoso, mas, a menos que ocorressem mudanças improváveis, morreria como um homem terrivelmente excêntrico.

Trabalhava como professor em Johannaeum, onde dava um curso de mineralogia, durante o qual se encolerizava regularmente uma ou duas vezes por aula. Não porque se preocupasse com a assiduidade dos alunos em relação à lição, à atenção que lhe davam ou ao sucesso que poderiam ou não atingir no futuro; esses detalhes não o incomodavam em nada. Ele dava aulas "subjetivamente" – para usar um termo da filosofia alemã –, para ele, e para mais ninguém. Era um sábio egoísta, um poço de conhecimento cuja manivela rangia quando se tentava tirar algo dele. Em suma, era um egoísta.

São muitos os professores assim na Alemanha.

Infelizmente, meu tio já não tinha uma grande facilidade de expressão na intimidade, muito menos quando falava em público, e esse é um defeito lamentável para um orador. Inclusive, em suas aulas em Johannaeum, várias vezes o professor parava de repente, lutava contra uma palavra especialmente teimosa que não queria sair de seus lábios, uma daquelas que resistem, vão inchando e acabam saindo na forma nada científica de um palavrão. Daí sua raiva.

Em sua defesa, na área de mineralogia, há um bom número de denominações semigregas, semilatinas, difíceis de pronunciar; nomes escabrosos que esfolariam os lábios de qualquer poeta. Não que eu vá falar mal dessa ciência. Longe de mim. Mas, quando estamos diante de cristalizações romboédricas, resinas retinasfálticas, guelenitas, tangasitas, molibdatos de chumbo, tungstatos de manganês e titanatos de zircônio, é possível que até as línguas mais habilidosas acabem se enrolando.

Todos na cidade conheciam essa falha compreensível do meu tio e se aproveitavam dela. Ficavam à espera das passagens mais perigosas, e, quando ele se enchia de fúria, todo mundo ria, o que não é nada de bom-tom, mesmo para os padrões alemães. Sempre havia um grande número de ouvintes nas aulas de Lidenbrock, mas muitos só o acompanhavam assiduamente para se alegrar com os famosos acessos de raiva do professor!

Seja como for, não canso de dizer que meu tio era um verdadeiro sábio. Por mais que, às vezes, quebrasse suas amostras por testá-las com brutalidade demasiada, ele aliava a genialidade de um geólogo com a visão de um mineralogista. Com seu martelo, buril de aço, agulha imantada, maçarico e frasco de ácido nítrico, era um homem de grande poder. Fosse pela fissura, pelo aspecto, pela dureza, pela fusibilidade, pelo som, pelo cheiro ou pelo gosto de qualquer mineral, ele o classificava sem hesitar em meio aos seiscentos gêneros que a ciência calcula existirem atualmente.

O nome de Lidenbrock ressoava com honrarias nos ginásios e associações nacionais. O ilustre Humphry Davy, de Humboldt, e os capitães Franklin e Sabine faziam questão de visitá-lo quando passavam por Hamburgo. Becquerel, Ebelmen, Brewater, Dumas e Milne-Edward sempre o consultavam sobre as questões mais emocionantes da química. Muitas das mais belas descobertas dessa ciência deviam-se a ele, e, em 1853, foi publicado em Leipzig um *Tratado de cristalografia transcendente*, da autoria do professor Otto Lidenbrock, um grande in-fólio ilustrado cujas vendas, infelizmente, não cobriram os custos.

Além disso, meu tio era curador do museu mineralógico do embaixador da Rússia, Sr. Struve. O museu possuía uma preciosa coleção de renome em toda a Europa.

Lidenbrock era a figura que me intrigava com muita impaciência. Imaginem um homem alto, magro, com uma saúde de ferro e um cabelo louro juvenil que o fazia aparentar uns dez anos a menos dos cinquenta que tinha. Seus olhos grandes não paravam quietos por trás dos óculos proeminentes. Seu nariz, comprido e fino, parecia uma lâmina afiada. As más-línguas diziam que seu nariz era imantado e atraía limalha de ferro. Pura calúnia; só atraía tabaco, e em grandes quantidades, não devo mentir.

Se eu acrescentar que meu tio dava passos de exata meia toesa, e contar que, ao andar, mantinha os punhos firmemente cerrados, sinal de um temperamento agressivo, aí estariam todas as razões para não apreciar sua companhia.

Ele morava em uma casinha na Königstrasse, uma construção de madeira e tijolos, empena recortada, que dava para um dos canais sinuosos que se cruzam no meio do mais antigo bairro de Hamburgo, o qual, felizmente, foi poupado pelo incêndio de 1842.

É verdade que a velha casa era um pouco torta e exibia o ventre para os transeuntes. Seu teto tinha saliências inclinadas, como o gorro de um estudante da Tugendbund. A firmeza de suas linhas deixava a desejar, mas, em geral, sustentava-se bem, em parte graças ao velho olmo apoiado com firmeza na fachada, cujos botões de flor entravam pelos vidros das janelas na estação primaveril.

Meu tio até que tinha dinheiro para um professor alemão. A casa, assim como tudo dentro dela, estava em seu nome. Dentro, havia sua afilhada Grauben, uma bela jovem virlandesa de dezessete anos, a empregada Marthe e eu. Minha condição dupla de sobrinho e órfão fez de mim o auxiliar operacional de seus experimentos.

Admito que mergulhei de cabeça nas ciências geológicas. Eu tinha sangue de mineralogista correndo em minhas veias, e nunca me cansava da companhia de minhas queridas pedras.

Em resumo, era possível ser feliz na pequena casa da Königstrasse, apesar da impaciência de seu proprietário; afinal, mesmo agindo de um jeito meio violento, ele não deixava de me amar. Mas era um homem que não sabia esperar, e tinha mais pressa do que a natureza.

Em abril, quando plantava pés de resedá ou glória-da-manhã nos potes de faiança do salão, ia toda manhã, sem falta, puxar as folhas para acelerar o crescimento das plantas.

Com um excêntrico desses, só me restava obedecer. Fui correndo para seu gabinete.

CAPÍTULO 2

Seu gabinete era um verdadeiro museu. Todas as amostras do reino mineral estavam etiquetadas na mais perfeita ordem, segundo as três grandes divisões de minerais: inflamáveis, metálicos e litoides. Como eu conhecia bem aqueles objetos da ciência mineralógica! Quantas vezes, em vez de sair para brincar com os meninos da minha idade, preferi ficar limpando grafitas, antracitos, hulhas, linhitos e turfas! E os betumes, resinas e sais orgânicos que era preciso proteger do menor grão de pó! E aqueles metais, desde ferro a ouro, cujo valor relativo desaparecia diante da equivalência absoluta de espécimes científicos! E todas aquelas pedras com as quais seria possível reconstruir a casa da Königstrasse, até mesmo fazer um quarto a mais, algo em que eu não veria mal nenhum.

Mas, ao entrar no gabinete, mal estava pensando nessas raridades. Meu tio era tudo que ocupava minha mente. Ele estava metido em sua grande poltrona revestida de veludo de Utrecht e tinha nas mãos um livro que examinava com a mais profunda admiração.

– Que livro! Que livro! – exclamava ele.

Essa exclamação me lembrou que o professor Lidenbrock também era um bibliômano nas horas vagas. Mas, para ele, um livro só tinha valor se fosse impossível de encontrar, ou, no mínimo, ilegível.

– Não está vendo? – ele me perguntou. – É um tesouro inestimável que encontrei hoje de manhã revirando a loja do judeu Hevelius.

– Que maravilha! – respondi com falso entusiasmo.

Afinal, para que tanto alvoroço por causa de um in-quarto velho com capa e lombada feitas de algo que parecia uma camurça grosseira, um livro amarelado do qual pendia um marcador descolorido?

Mas o professor não parava de soltar interjeições admiradas.

– Veja – ele dizia, fazendo perguntas e respostas a si mesmo –, não é lindo? É admirável! E que encadernação! Esse livro não é fácil de abrir? Sim, porque fica aberto em qualquer página! Mas, se fecha bem? É claro, porque a capa e as folhas formam um todo muito bem unido, sem se separar ou se abrir em lugar nenhum. E essa lombada que não tem nenhuma rachadura mesmo depois de setecentos anos de existência! Ah! Essa sim é uma encadernação que daria orgulho a Bozerian, Closs ou Purgold!

Enquanto falava, meu tio abria e fechava o livro velho sem parar. Não havia nada que eu pudesse fazer além de perguntar sobre do que livro tratava, mesmo não estando nem um pouco interessado.

– E qual é o título desse volume maravilhoso? – indaguei, com um entusiasmo ávido demais para ser sincero.

– Essa obra – respondeu meu tio, animando-se – é o *Heimskringla*, de Snorri Sturluson, o famoso autor islandês do século XII. É a crônica dos príncipes noruegueses que reinaram na Islândia.

– É mesmo? – questionei como pude. – E imagino que seja uma tradução para o alemão?

– Ora! – retrucou vivamente o professor. – Tradução! E o que eu faria com uma tradução! Quem se importa com traduções? Esta é a obra original em islandês, esse idioma maravilhoso, ao mesmo tempo rico e simples, que permite as combinações gramaticais mais variadas e inúmeras modificações de palavras.

– Como o alemão – arrisquei, com bastante animação.

– Sim – meu tio retrucou, dando de ombros –, mas com a diferença de que o islandês admite três gêneros, como o grego, e declina os nomes próprios como o latim!

– Ah! – falei, um pouco abalado pela indiferença. – E os caracteres do livro, são bonitos?

– Caracteres? De que caracteres você está falando, infeliz? São caracteres... Ah, você acha que é um impresso! Ô, ignorante, este é um manuscrito, um manuscrito rúnico!

– Rúnico?

– Sim! Vai querer agora que eu explique essa palavra?

– Não precisa – respondi, com orgulho ferido na voz.

Contra minha vontade, porém, meu tio continuou falando e me explicando coisas que eu não tinha a menor vontade de saber.

– As runas – continuou ele – eram os caracteres de escrita utilizados antigamente na Islândia, e, pelo que diz a tradição, foram inventadas pelo próprio Odin. Olhe só, admire, descrente, esses tipos que saíram da imaginação de um deus!

Sem ter o que responder, estava prestes a me prostrar, um tipo de reação que agrada a deuses e reis, pois tem a vantagem de nunca envergonhá-los, mas um incidente desviou o rumo da conversa.

Foi o surgimento de um pergaminho sujo que escorregou do livro e caiu no chão.

Meu tio lançou-se sobre aquela ninharia com uma avidez compreensível. Um velho documento, talvez guardado desde tempos imemoriais dentro de um velho livro, devia ter um grande valor aos seus olhos.

– O que é isso? – ele perguntou.

Em seguida, desdobrou cuidadosamente sobre a mesa o pergaminho, de treze centímetros de comprimento por oito de largura, no qual se estendiam caracteres ilegíveis em linhas transversais.

Aqui está o fac-símile exato. Faço questão que conheçam esses símbolos bizarros, pois foram eles que fizeram com que o professor Lidenbrock e eu, seu sobrinho, empreendêssemos a mais estranha expedição do século XIX:

O professor examinou a série de caracteres por alguns instantes. Depois, disse, tirando os óculos:

– É rúnico. Esses tipos são completamente idênticos aos do manuscrito de Snorri Sturluson! Mas... o que será que querem dizer?

Como o rúnico me parecia uma invenção dos eruditos para ludibriar o pobre mundo, não fiquei nem um pouco indignado ao ver que meu tio não estava entendendo nada. Ao menos era o que parecia, pelo movimento de seus dedos que começavam a tremer muito.

– Mas é islandês antigo – murmurou entredentes.

E imagino que o professor Lidenbrock estava certo, afinal, era um verdadeiro poliglota. Não que falasse fluentemente as duas mil línguas e os quatro mil idiomas empregados na superfície da Terra, mas conhecia uma boa parte deles.

Diante dessa dificuldade, toda a impetuosidade de seu temperamento estava prestes a explodir, e eu, preparando-me para uma cena de violência, quando o reloginho da lareira soou duas horas.

Imediatamente, a boa Marthe abriu a porta do gabinete e disse:

– A sopa está servida.

– Que se danem a sopa, quem a fez e quem vai tomá-la! – meu tio exclamou.

Marthe saiu correndo. Saí atrás dela e, sem me dar conta, fui parar sentado no meu lugar de sempre na sala de jantar. Esperei um pouco. O professor não veio. Até onde eu sabia, essa era a primeira vez que ele faltava à solenidade do almoço. E que almoço! Uma sopa com bastante salsinha, uma omelete de presunto temperada com noz-moscada, um lombo de vitela ao molho de ameixas e, para a sobremesa, camarões açucarados, tudo acompanhado por um belo vinho de Mosela.

Era isso que meu tio estava perdendo por culpa de um papel velho. Como um sobrinho dedicado, achei que era minha obrigação comer por ele e por mim. Coisa que fiz sem dor na consciência.

– Nunca vi nada parecido! – disse a boa Marthe enquanto servia. – Sr. Lidenbrock fora da mesa!

– É inacreditável.

– É o presságio de algo muito grave! – a velha empregada continuou, abanando a cabeça.

Na minha opinião, não era presságio de coisa nenhuma, além de uma cena medonha quando meu tio encontrasse o almoço completamente devorado.

Estava no último camarão quando uma voz retumbante me arrancou dos deleites da sobremesa. Levantei-me de um salto para correr até o escritório.

CAPÍTULO 3

– É evidente que é rúnico – dizia o professor, franzindo a testa. – Mas tem algum segredo, que hei de descobrir, senão...

Um gesto violento completou seu raciocínio.

– Vai lá se sentar – ele acrescentou, apontando para a mesa com o punho cerrado –, e escreva.

Em um instante, eu estava a postos.

– Agora, vou ditar cada letra do nosso alfabeto que corresponde, uma a uma, às desses caracteres islandeses. Vamos ver no que vai dar. E, em nome de São Miguel, ai de você se errar!

O ditado começou. Dei o meu melhor. As letras foram soletradas uma a uma e formaram a sucessão incompreensível de palavras a seguir.

mm.rnlls	esreue	seecJde
sgtssmf	unteief	niedrke
kt,samn	atrateS	Saodrrn
emtnaeI	nuaect	rrilSa
Atvaar	.nscrc	ieaabs
ccdrmi	eeutul	frantu
dt,iac	oseibo	KediiY

Quando o trabalho chegou ao fim, meu tio pegou rapidamente a folha sobre a qual eu tinha escrito e a examinou com atenção por muito tempo.

– O que isso quer dizer? – repetia maquinalmente.

Juro por minha honra que não tinha como lhe explicar. Na verdade, ele não estava direcionando a pergunta a mim, mas a si mesmo:

– É o que chamamos de criptograma – ele dizia –, no qual o sentido está oculto dentro das letras embaralhas propositalmente e que, na disposição correta, formariam uma frase inteligível! Logo agora que pensei estar perto de uma explicação ou do indício de uma grande descoberta!

Já eu achava que aquilo não queria dizer coisa nenhuma, mas achei mais prudente guardar minha opinião para mim.

O professor pegou o livro e o pergaminho e comparou os dois.

– As duas caligrafias não são da mesma pessoa – ele disse. – O criptograma é posterior ao livro, e tenho uma prova irrefutável disso. A primeira letra é um "m" duplo que nunca se encontraria no livro de Sturluson, porque só foi acrescentada ao alfabeto islandês no século XIV. Sendo assim, há, pelo menos, uns duzentos anos de diferença entre o manuscrito e o documento.

"Faz bastante sentido", considerei.

– Isso me leva a pensar – continuou meu tio – que um dos donos desse livro escreveu esses caracteres misteriosos. Mas quem diabos era esse dono? Será que não escreveu seu nome em lugar nenhum deste manuscrito?

Meu tio afastou os óculos, pegou uma luneta potente e analisou cuidadosamente as primeiras páginas do livro.

No verso da segunda, a falsa folha de rosto, encontrou uma espécie de mancha que mais parecia um borrão de tinta. No entanto, olhando mais de perto, dava para distinguir alguns caracteres semiapagados. Meu tio imaginou que fosse algo interessante. Examinou a mancha e, com a ajuda da sua grande lupa, acabou reconhecendo os seguintes caracteres rúnicos, que leu sem hesitar:

ᛁᛆᚾᛐ ᛋᛁᚿᚼᛐ·ᛋᛋᛏᛪ

– Arne Saknussemm! – exclamou, triunfante. – É um nome islandês! De um cientista do século XVI, um famoso alquimista!

Eu estava olhando para meu tio com certa admiração.

– Esses alquimistas – ele continuou –, Avicena, Bacon, Lúlio, Paracelso, foram os únicos verdadeiros cientistas do seu tempo. Fizeram descobertas que nos surpreendem até hoje. Será que esse Saknussemm escondeu alguma invenção surpreendente nesse criptograma incompreensível? Deve ser. Só pode ser.

A imaginação do professor inflamou-se com essa hipótese.

– Provavelmente – ousei dizer –, mas por que esse cientista esconderia essa maravilhosa descoberta dessa forma?

– Por quê? Por quê? Eu lá sei? Galileu não fez exatamente o mesmo com Saturno? Além do mais, logo vamos saber. Vou encontrar o segredo deste documento, e não vou comer nem dormir até tê-lo decifrado.

"Ah!", pensei.

– E você também não, Axel – ele acrescentou.

"Esta agora!", pensei comigo. "Ainda bem que já comi por dois!"

– Para começar – disse meu tio –, precisamos descobrir a língua desse tal código. Não deve ser muito difícil.

Ao ouvir essas palavras, ergui a cabeça de imediato.

Meu tio retomou seu monólogo:

– Nada mais fácil. Neste documento, temos cento e trinta e duas letras, sendo setenta e nove consoantes e cinquenta e três vogais. Ora, essa proporção aproxima-se bastante das que formam as palavras das línguas meridionais, já que os idiomas do Norte são infinitamente mais ricos em consoantes. Logo, é uma língua do Sul.

Eram conclusões bem sensatas.

– Mas que língua é essa?

Era isso que eu queria saber do meu cientista, que, agora, encontrava-se também como um verdadeiro analista.

– Saknussemm – ele continuou – era um homem culto. Já que não escreveu em sua língua materna, deve ter preferido a língua corrente entre os eruditos do século XVI, ou seja, latim. Se eu estiver errado, posso tentar espanhol, francês, italiano, grego e hebraico. Mas a maioria dos cientistas daquele século escrevia em latim. Por isso tenho todo o direito de dizer desde já: é latim!

Tive um sobressalto na cadeira. Minhas lembranças de latinista revoltaram-se contra a ideia de essa série de palavras poder pertencer à doce língua de Virgílio.

– Sim! Latim – continuou meu tio –, mas latim embaralhado.

"Que bom!", pensei. "Meu tio deve ter astúcia suficiente para desembaralhar aquilo."

– Vamos examinar bem – disse ele, voltando a pegar a folha em que havia escrito. – É uma série de cento e trinta e duas letras apresentadas em aparente desordem. Há palavras em que as consoantes se encontram sozinhas, como a primeira "mm.rnlls", outras em que há uma abundância de vogais, como a quinta, "unteief", ou a penúltima, "oseibo". É óbvio que essa disposição não foi aleatória. É dada *matematicamente* pela razão desconhecida que precedeu a sucessão dessas letras. Parece-me certo que a frase original tenha sido escrita normalmente e, depois, invertida segundo uma regra que ainda vamos descobrir. Quem tiver a chave deste código vai lê-lo corretamente. Mas que chave é essa? Você tem a chave, Axel?

Não respondi a essa pergunta por um motivo. Meu olhar estava fixado num retrato encantador pendurado na parede, de Grauben. A afilhada do meu tio estava agora em Altona, na casa de um dos seus parentes, e sua ausência me deixava bastante triste, pois devo confessar que a bela virlandesa e o sobrinho do professor se amavam com toda a calma e tranquilidade alemãs. Tínhamos ficado noivos contra a vontade do meu tio, que era geólogo demais para entender esses sentimentos. Grauben era uma menina loura encantadora de olhos azuis, personalidade austera, um jeito um tanto sério. Mas nem por isso gostava menos de mim. Já eu a adorava, se é que esse verbo existe na língua germânica! A imagem da minha pequena virlandesa me tirava imediatamente do mundo real para um de quimeras e lembranças.

Lembrei-me da minha fiel companheira de trabalho e lazer. Todo dia me ajudava a organizar as preciosas pedras do meu tio. Ela as etiquetava comigo. Srta. Grauben era uma mineralogista e tanto! Adorava aprofundar-se nas questões mais árduas da ciência. Quantas horas doces passamos estudando juntos, e quantas vezes invejei aquelas pedras insensíveis que pegava em suas lindas mãos!

Depois, nos momentos de lazer, saíamos para percorrer as aleias frondosas às margens do rio Alster e íamos juntos ao velho moinho alcatroado, que ficava tão belo na ponta do lago. No caminho, não soltávamos a mão um do outro. Eu lhe contava coisas que a faziam rir com gosto. Chegávamos assim à beira do rio Elba, e, depois de dar boa-noite aos cisnes que nadavam entre os grandes nenúfares brancos, voltávamos ao cais no barco a vapor.

Estava nesse ponto do meu devaneio quando meu tio me trouxe violentamente de volta à realidade, batendo o punho na mesa.

– Vejamos – ele disse –, me parece que a primeira ideia que vem à mente quando se quer embaralhar as letras de uma frase é colocá-las na vertical, em vez de na horizontal.

"Boa!", pensei.

– Precisamos ver em que isso vai dar. Axel, escreva uma frase qualquer nesse papel. Mas, em vez de escrever as letras na sequência, uma após a outra, coloque-as sucessivamente em colunas verticais, de maneira que fiquem agrupadas em cinco ou seis.

Entendi o que ele quis dizer e, imediatamente, escrevi de cima para baixo:

```
E    m    t    n    q    G    e
u    o    o    h    u    r    n
t    m    ,    a    e    a    !
e    u    m    p    n    ü
a    i    i    e    a    b
```

– Bom – disse o professor, sem ter lido. – Agora, coloque essas palavras numa linha horizontal.

Obedeci e cheguei à seguinte frase:

EmtnqGe uoohurn tm,aea! eumpnü aiieab

– Perfeito! – disse meu tio, tirando o papel das minhas mãos. – Já está parecido com o velho documento. As vogais e as consoantes estão agrupadas na mesma desordem, tem até umas maiúsculas e vírgulas no meio das palavras, exatamente como no pergaminho de Saknussemm!

Era impossível não achar suas observações astuciosas.

– Agora – continuou meu tio, dirigindo-se diretamente a mim –, para ler a frase que você acabou de escrever e que desconheço, basta pegar sucessivamente a primeira letra de cada palavra, depois a segunda, a terceira, e assim por diante.

E meu tio, para seu grande espanto e para o meu, leu:

Eu te amo muito, minha pequena Grauben!

– Como assim? – exclamou o professor.

Sim, sem me dar conta, desastrado de amores, tinha escrito logo essa frase comprometedora!

– Ah, você ama a Grauben? – retomou meu tio com o tom de um verdadeiro tutor.

– Sim... Não... – balbuciei.

– Ah, você ama a Grauben – repetiu, maquinalmente. – Bom, vamos aplicar meu sistema ao documento em questão.

Retomando sua concentração contemplativa, meu tio já tinha esquecido minhas palavras imprudentes. Digo imprudentes porque o cérebro de um cientista não tem como entender as coisas do coração. Mas, felizmente, o importante para ele era o grande mistério do documento.

Na hora de fazer sua experiência crucial, os olhos do professor Lidenbrock brilhavam por trás dos óculos. Seus dedos tremiam enquanto pegava o velho pergaminho. Estava sinceramente emocionado. Por fim, tossiu com força e, com a voz grave, soletrou sucessivamente a primeira e depois a segunda letra de cada palavra. Ditou-me a seguinte sequência.

mmessunkaSenrA.icefdoK.segnittamurtn
ecertserrette,rotaivsadua,ednecsedsadne
lacartniiiluJsiratracSarbmutabiledmek
meretarcsilucoYsleffenSnI

Confesso que eu estava comovido ao terminar. Essas letras, soletradas, uma a uma, não faziam nenhum sentido para mim. Fiquei esperando então que o professor, de seus lábios, soltasse pomposamente uma frase de latinidade maravilhosa.

Mas quem poderia imaginar? Um forte soco na mesa fê--la tremer. A tinta se derramou e a pena caiu da minha mão.

– Não é nada disso! – gritou meu tio. – Não faz sentido nenhum!

Depois, atravessando o escritório como uma bala e descendo a escada feito uma avalanche, lançou-se à Königstrasse e desapareceu a passos rápidos.

CAPÍTULO 4

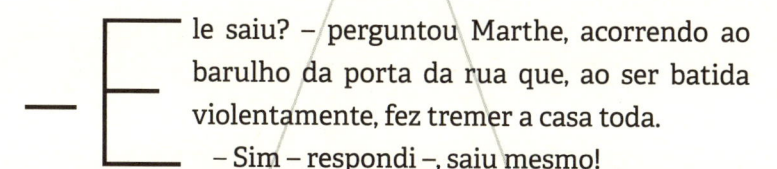

– Ele saiu? – perguntou Marthe, acorrendo ao barulho da porta da rua que, ao ser batida violentamente, fez tremer a casa toda.
– Sim – respondi –, saiu mesmo!
– E o almoço? – resmungou a velha empregada.
– Não vai almoçar.
– E o jantar?
– Não vai jantar.
– Como assim? – indagou Marthe, entrelaçando as mãos.
– Minha querida Marthe, nem ele nem ninguém nesta casa vai comer mais! Meu tio Lidenbrock vai forçar um jejum a todos até decifrar um velho pergaminho completamente indecifrável!
– Jesus! Vamos todos morrer de fome!
Não tive coragem de confessar que, em se tratando de um homem tão decidido como meu tio, esse destino era bem provável.
A velha empregada, alarmada de verdade, voltou à cozinha resmungando.
Quando fiquei sozinho, pensei em sair para contar tudo a Grauben. Mas como sair de casa? E se ele me chamasse? E se quisesse retomar esse trabalho logogrífico que nem o

velho Édipo poderia querer? E se eu não atendesse ao chamado, o que aconteceria?

Era mais sensato ficar. Inclusive, um mineralogista de Besançon nos tinha enviado recentemente uma coleção de geodos siliciosos que precisavam ser classificados. Pus mãos à obra. Triei, etiquetei e dispus na vitrine todas aquelas pedrinhas dentro das quais rebrilhavam pequenos cristais.

Mas não consegui me concentrar nesse trabalho. Por mais estranho que pareça, a história do velho documento não deixava de me inquietar. Minha cabeça fervilhava, e eu me sentia tomado por uma vaga impaciência. Era o pressentimento de uma catástrofe iminente.

Depois de uma hora, meus geodos estavam todos organizados. Fui me sentar então na grande poltrona de Utrecht, com os braços pendendo e a cabeça caída. Acendi meu cachimbo de tubo longo e curvo, cujo fornilho entalhado representava uma náiade deitada preguiçosamente. Fiquei me divertindo então ao ver que a carbonização ia escurecendo pouco a pouco a pele da náiade. De tempos em tempos, tentava ouvir se algum passo ressoava na escada. Mas não. Onde meu tio estaria agora? Eu o imaginei correndo sob as belas árvores da rota de Altona, gesticulando, batendo no muro com sua bengala, atacando a grama com violência, decapitando os espinhos e perturbando o repouso das cegonhas solitárias.

Será que voltaria triunfante ou desanimado? Quem venceria, ele ou o enigma? Eu me fazia essas perguntas quando, maquinalmente, peguei nas mãos o papel no qual se estendia a série incompreensível de letras escritas por mim. Repeti comigo mesmo:

– O que será que isso quer dizer?

Tentei agrupar as letras de modo a formar palavras. Impossível. Por mais que tentasse agrupar as letras em grupos de duas, três, cinco ou seis, não resultavam algo inteligível. No entanto, a décima quarta, décima quinta e décima sexta letras formavam a palavra *ice*, em inglês, enquanto a octogésima quarta, a octogésima quinta e a octogésima sexta formavam a palavra *sir*. Finalmente, encontrei também na segunda e na terceira linha do corpo do documento as palavras em latim *rota, mutabile, iraneo* e *atra*.

"Diabos", pensei. "Essas últimas palavras parecem dar razão ao meu tio em relação à língua do documento! Inclusive, na quarta linha, vejo a palavra *luco*, que poderia ser traduzida por 'bosque sagrado'. É verdade que, na terceira, lê-se a palavra *tabiled*, visivelmente hebraica, e, na última, os vocábulos franceses *mer, arc* e *mère*, puramente franceses."

Era enlouquecedor! Quatro línguas diferentes nessa frase absurda! Que relação poderia existir entre as palavras "mar, senhor, ira, cruel, bosque sagrado, mutável, mãe, arco ou mar"? Só a primeira e a última tinham uma relação facilmente aceitável. Não havia nada de surpreendente que, em um documento escrito na Islândia, fosse mencionado um "mar de gelo". Mas daí a compreender o restante do criptograma era outra coisa.

Eu me engalfinhava com uma dificuldade insolúvel. Meu cérebro fervilhava. Meus olhos pestanejavam diante do papel. As cento e trinta e duas letras pareciam voar ao meu redor, como aqueles pontos prateados que brilham no ar em volta da cabeça quando o sangue sobe muito rápido para o cérebro.

Estava à beira de um tipo de alucinação, sufocando, sem ar. Por instinto, abanei-me com a folha de papel, fazendo a frente e o verso do papel se virarem sucessivamente para mim.

Qual não foi minha surpresa quando, numa dessas voltas rápidas, quando o verso se virou para mim, pensei ver surgir palavras perfeitamente legíveis, palavras em latim, entre outras *craterem* e *terrestre*.

De repente, um clarão se fez em minha mente. Esses poucos indícios me fizeram entrever a verdade. Eu tinha descoberto a chave do código. Para ler o documento, nem era preciso lê-lo pela folha invertida! Não. Ele era assim, assim tinha sido ditado para mim, e assim poderia ser lido corretamente. Todas as combinações engenhosas do professor eram reais. Ele estava certo em relação à disposição das letras e à língua do documento! Faltava uma coisinha de nada para ler a frase em latim do começo ao fim, e o acaso tinha acabado de me dá-la.

É compreensível como fiquei emocionado! Meus olhos se encheram de lágrimas. Mal dava para enxergar. Eu tinha colocado a folha sobre a mesa. Bastava olhar para ela para me tornar detentor do segredo.

Finalmente consegui acalmar minha agitação. Obriguei-me a dar duas voltas pelo gabinete, a fim de apaziguar os nervos, e voltei a me enfiar na grande poltrona.

"Vamos ler", exclamei comigo, antes de encher os pulmões de ar.

Debrucei-me sobre a mesa. Fui colocando um dedo sobre cada letra sucessivamente e, sem parar, sem hesitar um instante sequer, pronunciei a frase inteira em voz alta.

Como fiquei estupefato, como fiquei assombrado! Sentia-me como se tivesse sido atingido por um raio! Como assim? O que tinha acabado de descobrir havia sido feito! Um homem tivera a audácia de penetrar no...

"Ah, não!", pensei com um sobressalto. "Não, de jeito nenhum! Meu tio não pode saber disso! Era só o que me faltava ele ficar sabendo de uma viagem dessas! Vai querer empreender uma igual! Nada poderá detê-lo! Um geólogo tão obstinado! Vai partir de qualquer jeito, apesar de tudo, contra todas as forças opostas! E ainda vai me levar junto, e nunca vamos voltar! Nunca! Jamais!"

É difícil descrever minha exaltação no momento.

"Não! De jeito nenhum", eu dizia energicamente a mim mesmo. "E, já que não tenho como evitar que aquele tirano tenha uma ideia dessas, vou ter que fazer isso. De tanto virar e revirar esse documento, ele pode acabar descobrindo a chave por acaso. Vou destruir isto aqui."

Ainda havia uma pequena chama remanescente na lareira. Peguei não apenas a folha de papel, mas também o pergaminho de Saknussemm. Com a mão febril, estava prestes a jogar tudo sobre os carvões e a aniquilar esse segredo perigoso, quando a porta do gabinete se abriu. E meu tio entrou.

CAPÍTULO 5

Quase não deu tempo de recolocar o maldito documento em cima da mesa.

Professor Lidenbrock parecia profundamente absorto. Sua ideia fixa não lhe dava um instante de descanso. Era evidente que havia sondado e analisado o caso, lançando mão de todos os recursos de que sua imaginação dispunha ao longo da caminhada, e que tinha voltado para aplicar alguma combinação nova.

Com efeito, ele se sentou na poltrona e, com a pena na mão, começou a criar fórmulas que mais pareciam um cálculo algébrico.

Segui sua mão palpitante com os olhos, sem perder um único movimento. Será que surgiria algum resultado inesperado? Eu estava tremendo, sem ter motivo, afinal, já tinha descoberto a verdadeira e única combinação, sendo que qualquer outra investigação era necessariamente em vão.

Durante três longas horas meu tio trabalhou sem falar nada, sem erguer a cabeça, apagando, riscando, retomando, rasurando e recomeçando mil vezes.

Eu sabia bem que, se por acaso ele dispusesse as letras segundo todas as posições relativas que poderiam ocupar, a frase estaria completa. Mas sabia também que apenas vinte letras são capazes de formar dois quintilhões quatrocentos e trinta e dois quatrilhões novecentos e dois trilhões oito bilhões cento e setenta e seis milhões, seiscentos e quarenta mil combinações. Ora, havia cento e trinta e duas letras naquela frase, e essas cento e trinta e duas letras dariam um número de frases diferentes – um número, no mínimo, praticamente impossível de enumerar e que escapa a qualquer compreensão humana.

Fiquei mais tranquilo com esse seu meio heroico de tentar resolver o problema.

O tempo passou. A noite caiu. Os barulhos da rua diminuíram. Meu tio, o tempo todo debruçado na sua tarefa, não viu nada, nem mesmo quando a boa Marthe entreabriu a porta. Não ouviu nada, nem mesmo a voz da digníssima empregada perguntando:

– O senhor não vai jantar?

Marthe teve de sair sem resposta. Já eu, depois de ter resistido por um bom tempo, fui tomado por um sono invencível, e adormeci num canto do sofá enquanto meu tio Lidenbrock não parava de calcular e rasurar.

Quando despertei no dia seguinte, o pesquisador incansável ainda estava em seu trabalho. Seus olhos vermelhos, o rosto pálido, o cabelo desgrenhado pela mão febril e as maçãs do rosto vermelhas eram um grande indício de sua luta terrível contra o impossível, além do cansaço mental e esforços cerebrais ocorridos nas últimas horas.

Fiquei sinceramente com pena dele. Apesar das censuras que me achava no direito de lhe fazer, fui tomado por certa emoção. O pobre homem estava realmente tão possuído por sua ideia, que se esqueceu de ficar com raiva. Todas as suas forças vitais estavam fixadas num único ponto, e, como não vazavam pela válvula de escape de sempre, dava para imaginar que sua tensão o faria explodir a qualquer momento.

Com um só gesto, com uma só palavra, eu poderia livrá-lo desse aperto ferrenho em seu crânio! Mas não fiz nada. No entanto, eu tinha um bom coração. Por que ficava em silêncio nessa situação? Pelo bem do meu próprio tio. "Não, não", repetia a mim mesmo. "De jeito nenhum. Não vou falar! Ele vai querer ir, conheço meu tio. Nada o impediria. Ele tem uma imaginação vulcânica, e, para fazer o que nenhum outro geólogo fez, colocaria a própria vida em risco. Vou me calar. Vou guardar esse segredo que o acaso me deu. Revelá-lo seria o mesmo que matar o professor Lidenbrock. Se conseguir, ele que o adivinhe. Não quero um dia carregar a culpa de ter provocado sua morte."

Determinado, cruzei os braços e esperei. Mas não estava contando com um incidente que aconteceu algumas horas depois.

Quando a boa Marthe quis sair para fazer compras, encontrou a porta fechada. A chave grande não estava na fechadura.

Quem a havia tirado? Meu tio, obviamente, quando voltou, na véspera, de seu passeio acelerado.

Teria sido propositcal? Ou por distração? Será que ele queria nos submeter a uma greve de fome? Assim já era demais. Como assim? Eu e Marthe seríamos vítimas de uma situação que não tinha nada a ver conosco? Provavelmente, e o pior é que me lembrei de um precedente semelhante de dar medo. Alguns anos antes, na época em que meu tio trabalhava em sua grandiosa classificação mineralógica, ele passou quarenta e oito horas sem comer, e toda a casa teve de aceitar aquela dieta científica. Sofri cãibras, nada divertidas, no estômago, para um rapaz de natureza bastante voraz.

Então me pareceu que não haveria café da manhã, assim como não havia tido jantar na noite anterior. Mesmo assim, decidi me manter firme e não ceder às exigências da fome. A coitada da Marthe levou isso muito a sério e estava desolada. Já eu estava mais preocupado por não poder sair de casa, e tinha motivo. Era compreensível.

Meu tio trabalhou sem parar. Sua imaginação perdia-se no mundo ideal de combinações. Estava vivendo longe da terra e verdadeiramente longe das necessidades mundanas.

Perto do meio-dia, a fome começou a me incomodar de verdade. Inocentemente, Marthe havia devorado as provisões da despensa na noite anterior. Não tinha sobrado nada na casa inteira. Mesmo assim, resisti. Tinha virado uma questão de honra.

Eram catorze horas. A situação já estava ficando ridícula, insuportável. Meus olhos estavam esbugalhados. Comecei a dizer a mim mesmo que exagerara quanto à importância do documento, que meu tio não acreditaria em nada; veria aquilo como uma simples farsa, e que, na pior das hipóteses, poderia ser impedido, contra sua vontade, caso quisesse empreender a aventura, e, finalmente, que ele próprio poderia descobrir a chave do código e que minha abstinência teria sido em vão.

Esses motivos, que eu teria rejeitado com indignação no dia anterior, pareceram-me excelentes. Achei até um completo absurdo ter esperado tanto tempo e decidi contar tudo.

Estava buscando uma maneira de entrar no assunto que não fosse brusca demais quando o professor se levantou, botou o chapéu e se preparou para sair.

Como assim? Sair da casa e nos trancar aqui dentro? De jeito nenhum.

– Meu tio! – eu disse.

Ele pareceu não ouvir.

– Tio Lidenbrock! – repeti, erguendo a voz.

– Hum? – ele respondeu, como se tivesse sido acordado de repente.

– Então, e a chave?

– Que chave? A chave da porta?

– Não – exclamei –, a chave do documento!

O professor me encarou por cima dos óculos. Acho que notou algo diferente na minha fisionomia, pois pegou meu braço com força e, sem conseguir falar, interrogou-me com os olhos. Mas não chegou a formular nenhuma pergunta com clareza.

Assenti com a cabeça.

Ele abanou a dele com uma espécie de piedade, como se estivesse tratando com um louco.

Fiz um gesto mais afirmativo.

Seus olhos brilharam com um clarão vívido. Sua mão ficou ameaçadora.

Essa conversa em silêncio, nessas circunstâncias, teria interessado até o espectador mais indiferente. Sinceramente, achei que não teria coragem de falar, de tanta certeza que tinha de que meu tio me sufocaria com seus primeiros abraços de euforia. Mas ele estava tão ansioso que tive de responder.

– Sim, essa chave... Ah... o acaso!
– Do que você está falando? – ele perguntou com uma emoção indescritível.
– Veja – eu disse, mostrando-lhe o papel sobre o qual eu tinha escrito. – Leia.
– Mas isso não significa nada! – ele respondeu, franzindo a testa.
– Não se ler de frente para trás, mas se começar de trás para...
Eu nem tinha terminado a frase e o professor soltou um grito; mais do que um grito, um verdadeiro urro! Ele havia tido uma revelação. Estava transfigurado.
– Ah, esse Saknussemm era um gênio! – ele exclamou. – Então ele escreveu a frase ao contrário!
E, lançando-se sobre o papel, com os olhos turvos e a voz emocionada, leu o documento inteiro, da última letra à primeira.
Eram estes os termos da mensagem:

In Sneffels Yoculis craterem kem delibat umbra Scartaris Julii intra calendas descende, audas viator, et terrestre centrum attinges. Kod feci. Arne Saknussemm

O que, em mau latim, pode ser traduzido como:

Desce dentro da cratera de Snœfellsjökull que a sombra do Scartaris vem acariciar antes das calendas de julho, ó viajante audacioso, e chegarás ao centro da Terra. Foi o que fiz. Arne Saknussemm

Ao ler isso, meu tio teve um sobressalto, como se tivesse tocado sem querer numa garrafa de Leiden. Era lindo de se ver sua audácia, sua alegria e sua convicção. Andava de um lado para o outro. Prendia a cabeça entre as mãos. Trocava as cadeiras de lugar. Empilhava os livros. Fazia malabarismos inacreditáveis com seus geodos preciosos. Dava um soco aqui, um tapa acolá. Finalmente, seus nervos se acalmaram e, esgotado por um gasto exagerado de energia, voltou a se afundar na poltrona.

– Que horas são agora? – ele perguntou, depois de alguns instantes de silêncio.

– Três horas – respondi.

– Minha nossa! Digeri o almoço rápido demais. Estou morrendo de fome. Vamos comer. Depois...

– Depois o quê?

– Você vai fazer minhas malas.

– Hein? – indaguei.

– E a sua também! – respondeu o professor, impiedoso, entrando na sala de jantar.

CAPÍTULO 6

Diante dessas palavras, um arrepio perpassou meu corpo, mas me contive. Achei melhor fingir tranquilidade. O professor Lidenbrock só poderia ser impedido por argumentos científicos. E não faltavam bons argumentos científicos contra a possibilidade de uma viagem dessas. Ir ao centro da Terra! Mas que loucura! Guardei minha dialética para o momento oportuno e tratei de comer.

Não é preciso mencionar as imprecações do meu tio diante da mesa vazia. A boa Marthe explicou tudo e ele lhe concedeu a liberdade. Ela foi correndo ao mercado e fez compras tão boas, que só uma hora depois de a minha fome ter sido saciada voltei a pensar sobre a situação.

Durante a refeição, meu tio estava praticamente contente. Soltou vários gracejos científicos, que nunca são muito ofensivos. Depois da sobremesa, me fez sinal para acompanhá-lo até o gabinete.

Obedeci. Ele se sentou numa ponta da escrivaninha e me sentei na outra.

– Axel – ele disse com uma voz bastante suave –, você é um rapaz muito inteligente. Fez um belo serviço para mim quando, cansado da batalha, estava prestes a desistir desse código. Ninguém sabe até que ponto eu estaria perdido!

Nunca vou me esquecer disso, meu filho, e você também será merecedor da glória que vamos alcançar.

"Ótimo!", pensei. "Ele está de bom humor. É hora de discutirmos essa tal glória."

– Antes de tudo – meu tio continuou –, sugiro que guardemos segredo absoluto, você entende? Não faltam invejosos no mundo das ciências, e muitos adorariam empreender essa viagem, mas só vão ficar sabendo dela quando voltarmos.

– O senhor acha – disse eu – que o número de audaciosos seria tão grande?

– Sem dúvida! Quem hesitaria em conquistar tamanho renome? Se esse documento viesse a público, todo um exército de geólogos correria para seguir os rastros de Arne Saknussemm!

– É disso que não tenho tanta certeza, meu tio. Afinal, nada prova a autenticidade desse documento.

– Como assim? E o livro no qual o encontramos?

– Bom, concordo que Saknussemm escreveu essas linhas, mas quem pode provar que ele realmente empreendeu essa viagem e que esse velho pergaminho não passa de uma farsa?

Quase me arrependi de ter pronunciado essas últimas palavras, um tanto quanto arriscadas. O professor franziu um pouco a testa, e pensei ter prejudicado o resto da conversa. Felizmente, não foi isso o que aconteceu. Meu severo interlocutor esboçou uma espécie de sorriso e respondeu:

– É o que veremos.

– Ah – eu disse, um pouco irritado –, mas permita-me terminar minha série de objeções em relação a esse documento.

– Fale, meu filho, não se contenha. Dou-lhe toda a liberdade de expressar sua opinião. Você não é mais só meu sobrinho, mas meu colega. Vá em frente.

– Primeiro de tudo, quero perguntar o que são esses tais Snæfellsjökull e Scartaris de que nunca ouvi falar?

– Nada mais simples. Inclusive, recebi há pouco tempo um mapa de meu amigo Peterman, de Leipzig, que pode nos ser útil. Pegue o terceiro atlas na segunda estante da biblioteca maior, série z, prateleira 4.

Levantei-me e, graças a suas indicações precisas, encontrei rapidamente o atlas solicitado. Meu tio o abriu e disse:

– Este é um dos melhores mapas da Islândia, o de Handerson, e acredito que vá resolver todas as suas dúvidas.

Debrucei-me sobre o mapa.

– Veja esta ilha de vulcões – disse o professor –, e veja que todos têm o nome: *jökull*. Essa palavra quer dizer "geleira" em islandês, e, na altitude elevada da Islândia, a maioria das erupções atravessa camadas e camadas de gelo. Daí esta denominação *jökull* a todos os montes ignívomos da ilha.

– Bom – respondi –, mas e Snæfells?

Imaginei que ele não tivesse resposta para essa pergunta. Estava enganado. Meu tio continuou:

– Acompanhe aqui a costa ocidental da Islândia. Está vendo Reykjavik, a capital? Então, suba os vários fiordes dessa costa corroída pelo mar e pare um pouco abaixo do sexagésimo quinto grau de latitude. O que tem aí?

– Uma espécie de península que parece um osso descarnado, terminado numa rótula enorme.

– É uma boa comparação, meu rapaz. Agora, não viu nada nessa rótula?

– Sim, um monte que parece ter saído do mar.

– Este é o Snæfells.

– O Snæfells?

– Ele próprio, uma montanha de um quilômetro e meio de altura, uma das mais famosas da ilha e, em breve, uma das mais célebres de todo o mundo se sua cratera levar ao centro do globo.

– Mas isso é impossível! – exclamei, erguendo os ombros, revoltado com uma ideia dessas.

– Impossível? – o professor Lidenbrock retorquiu com a voz severa. – Mas por quê?

– Porque essa cratera deve estar obviamente obstruída por lava, rochas escaldantes e sabe-se lá o quê...

– E se for uma cratera extinta?

– Extinta?

– Sim. Atualmente, o número de vulcões ativos na superfície da Terra não passa de trezentos. Mas existe uma quantidade bem maior de vulcões extintos. O Snæfells está nessa categoria, e, desde os tempos históricos, só sofreu uma erupção, em 1219. Depois, seus burburinhos foram se acalmando aos poucos, até deixar de ser um vulcão ativo.

Eu não tinha resposta para suas afirmações. Só me restava tratar dos outros mistérios do documento.

– O que significa esta palavra, Scartaris? – perguntei. – E o que isso tem a ver com as calendas de julho?

Meu tio refletiu por alguns instantes. Tive um momento de esperança, mas só um, porque ele logo me respondeu, nos seguintes termos:

– Suas dúvidas, para mim, são soluções, meu rapaz. Só provam os cuidados engenhosos com que Saknussemm queria precisar sua descoberta. O Snæfells é formado por diversas crateras. Por isso, era preciso indicar qual levava ao centro da Terra. O que o cientista islandês fez? Observou que, próximo às calendas de julho, isto é, nos últimos dias do mês de junho, um dos picos da montanha, o Scartaris, projetava sua sombra sobre a abertura da cratera em questão, e anotou o fato em seu documento. Que indicação poderia ser mais precisa? Assim que chegarmos ao pico do Snæfells, não vamos hesitar sobre qual caminho seguir.

Meu tio definitivamente tinha resposta para tudo. Dava para ver que era impossível atacar as palavras do velho pergaminho. Desisti, então, de insistir sobre o assunto e, como era preciso convencê-lo antes de tudo, passei para outras objeções científicas, bastante graves na minha opinião.

– Certo – comecei –, devo admitir que a frase de Saknussemm é clara e não deixa espaço para dúvidas. Concordo até que o documento parece perfeitamente autêntico. Esse cientista foi ao fundo do Snæfells. Viu a sombra do Scartaris afagar as margens da cratera antes das calendas de julho. Pode até ter ouvido relatos lendários do seu tempo de que a cratera levava ao centro da Terra. Mas duvido cem vezes que ele tenha voltado de uma viagem dessas, se é que realmente a fez!

– E por quê? – perguntou meu tio, com ironia.

– Porque todas as teorias da ciência demonstram que uma viagem dessas é impossível!

– Todas as teorias dizem isso? – retrucou o professor, com ares de benevolência. – Que teorias desagradáveis! Como vão nos atrapalhar!

Vi que ele estava caçoando de mim, mas mesmo assim continuei.

– Sim! Todo mundo sabe que o calor aumenta em cerca de um grau a cada vinte metros de profundidade embaixo da superfície terrestre. Se supusermos que essa é uma proporcionalidade constante, considerando que o raio terrestre é de seis mil e quatrocentos quilômetros, a temperatura no centro é de dois milhões de graus. Os materiais no interior da terra estão em estado de gás incandescente, porque os metais, ouro, platina, as rochas mais duras, não resistem a um calor desses. Portanto, tenho sim o direito de questionar se é possível penetrar num ambiente como esse!

– Então, o que incomoda você é o calor, Axel?

– Acho que sim. Se chegarmos a uma profundidade de quatrocentos metros, já teríamos alcançado o limite da crosta terrestre, e a temperatura já seria superior a trezentos graus.

– E você está com medo de entrar em fusão?

– Vou deixar essa questão para o senhor resolver – respondi, com ironia.

– Resolvo da seguinte forma – concluiu o professor Lidenbrock, com ares de grandeza. – O que nem você nem ninguém sabe com certeza é o que existe no interior da Terra, já que mal se conhecem doze milésimos do seu raio. A ciência é famosa por sempre estar em constante aperfeiçoamento, e toda teoria sempre é destruída por uma nova. Até Fourier, todos acreditavam que a temperatura dos espaços planetários ia diminuindo infinitamente, mas, hoje, sabe-se que as temperaturas mais baixas das regiões etéreas não passam de quarenta ou cinquenta graus abaixo de zero. Por que o mesmo não poderia valer para o calor interno? Por que, a certa profundidade, a temperatura não atingiria um limite intransponível, em vez de continuar elevando-se até o ponto de fusão dos minerais mais refratários?

Como meu tio colocou a questão no campo das hipóteses, fiquei sem resposta.

– Além disso, grandes sábios, como Poisson, provaram que, se existisse um calor de 2 milhões de graus no interior do globo, os gases incandescentes das matérias fundidas adquiririam tamanha elasticidade, que a crosta terrestre poderia não resistir e se romper como as paredes de uma caldeira contra a pressão do vapor.

– Esta é só a opinião de Poisson, meu tio.

– Verdade. Mas é também a opinião de outros geólogos distintos de que o interior do globo não é formado nem por gases nem por água, nem das pedras mais pesadas que conhecemos, afinal, nesse caso, a terra teria um peso duas vezes menor.

– Ah, mas com números dá para provar qualquer coisa!

– E com fatos, meu filho, não dá? Não é verdade que o número de vulcões diminuiu consideravelmente desde os primeiros dias do mundo, e que, se é que existe um calor central, não podemos concluir que ele tende a diminuir?

– Meu tio, se o senhor entrar no campo das suposições, não tenho como discutir.

– Mas digo que gente muito competente compartilha da mesma opinião que eu. Lembra-se da visita que recebi do célebre químico inglês Humphry Davy em 1825?

– É óbvio que não, porque só nasci dezenove anos depois.
– Bom, Humphry Davy veio me visitar quando passou por Hamburgo. Conversamos por um longo tempo. Entre outros assuntos, sobre a hipótese da liquidez do núcleo da Terra. Nós dois concordamos que essa liquidez não tinha como existir por um motivo que a ciência nunca encontrou.
– Que é? – perguntei, um tanto espantado.
– Essa massa líquida estaria, assim como os oceanos, sujeita à atração da lua e, por consequência, duas vezes por dia produziria marés interiores que, ao erguerem a crosta terrestre, provocariam terremotos periódicos.
– No entanto, é evidente que a superfície da Terra foi submetida à combustão, e é possível supor que a crosta exterior se resfriou antes, enquanto o calor se refugiou no centro.
– Errado – meu tio retrucou. – A Terra foi aquecida apenas pela combustão da sua superfície, que era composta por uma grande quantidade de metais, como potássio e sódio, que são inflamáveis ao contato com o ar e a água. Esses metais pegaram fogo quando os vapores atmosféricos se precipitaram sobre o solo na forma de chuva, e, pouco a pouco, enquanto a água penetrava nas fissuras da crosta terrestre, foram criando novos incêndios com explosões e erupções. Daí o grande número de vulcões nos primeiros dias do planeta.
– Que hipótese genial! – exclamei, um pouco contra minha vontade.
– Humphry Davy me comprovou essa hipótese, aqui mesmo, com uma experiência muito simples. Ele produziu uma esfera metálica feita, sobretudo, com os metais que acabei de citar, que representava nosso globo perfeitamente.

Quando derrubamos uma pequena gota de orvalho na superfície, ela se dilatou, oxidou-se, e formou uma pequena montanha, com uma cratera no topo. Ocorreu uma erupção que transmitiu um calor tão grande por toda a esfera que era impossível segurá-la na mão.

Para ser sincero, eu estava começando a me deixar convencer pelos argumentos do meu professor, que eram matizados por sua intensidade e seu entusiasmo de sempre.

– Sabe, Axel – ele acrescentou –, o estado do núcleo da Terra inspirou as hipóteses mais variadas entre os geólogos. Nada se comprovou sobre esse tal calor interno. Para mim, ele não existe, nem tem como existir. É o que veremos, aliás, e, como Arne Saknussemm, vamos poder tratar dessa grande questão.

– É claro – respondi, contagiado por seu entusiasmo. – É o que veremos, se der para enxergar.

– E por que não daria? Podemos contar com os fenômenos elétricos para iluminar nosso caminho, e até mesmo com a atmosfera, cuja pressão pode torná-la mais luminosa conforme nos aproximarmos do centro.

– Sim! – concordei. – Sim! Talvez seja possível.

– Com certeza é – meu tio afirmou, triunfante. – Mas, segredo, lembre-se! Guarde segredo sobre tudo isso para que ninguém tenha a ideia de descobrir o centro da Terra antes de nós.

CAPÍTULO 7

Assim terminou a reunião memorável. Essa conversa me deixou febril. Saí do gabinete do meu tio aturdido, e não havia ar suficiente nas ruas de Hamburgo que fizesse me recuperar. Fui até as margens do Elba, ao lado do barco a vapor que ligava a cidade à ferrovia de Harburgo.

Será que eu estava mesmo convencido do que tinha acabado de ouvir? Não tinha simplesmente sido manipulado pelo professor Lidenbrock? Será que devia mesmo levar a sério a decisão de ir ao centro do globo terrestre? O que tinha acabado de ouvir eram especulações insensatas de um louco ou deduções científicas de um gênio ilustre? Onde acabava a verdade e onde começava o erro de tudo isso?

Oscilava entre mil hipóteses contraditórias, sem conseguir me prender a nenhuma.

No entanto, lembrava-me de ter me convencido, ainda que meu entusiasmo começasse a enfraquecer. Queria partir imediatamente para não ter tempo de pensar demais. Juro que, naquele momento, não me faltaria coragem de fazer as malas.

Mas devo admitir que, uma hora depois, esse entusiasmo acabou. Meus nervos relaxaram, e saí dos abismos profundos da terra de volta à superfície.

"É um absurdo!", exclamei comigo mesmo. "Não faz sentido algum! Não é uma proposta que se faça seriamente a um rapaz sensato. Nada disso existe. Foi uma noite maldormida, um pesadelo."

Enquanto isso, caminhava pelas margens do Elba, e dei a volta na cidade. Depois de retornar ao porto, cheguei à estrada de Altona. Parecia que um pressentimento me conduzia, e era um pressentimento justificado, porque logo avistei minha pequena Grauben que, a passos rápidos, voltava bravamente a Hamburgo.

– Grauben! – gritei de longe.

A jovem parou, um tanto confusa, imagino eu, por ouvir seu nome assim numa grande estrada. Em dez passos, já estava perto dela.

– Axel! – ela disse, surpresa. – Ah, você veio me encontrar. Que bom!

Mas, ao me observar, Grauben não teve como não notar meu ar inquieto e transtornado.

– O que você tem? – ela perguntou, pegando minha mão.

– O que tenho? – indaguei.

Em questão de dois segundos e três frases, minha bela virlandesa já estava a par da situação toda. Durante alguns instantes, ela fez silêncio. Será que seu coração palpitava tanto quanto o meu? Eu não sabia, mas sua mão não estava tremendo na minha. Andamos uns cem passos sem falar absolutamente nada.

– Axel! – ela disse por fim.

– Minha querida Grauben!

– Vai ser uma bela viagem.

Levei um susto com essas palavras.

– Sim, Axel, uma viagem digna de um sobrinho de cientista. Todo homem deve se distinguir por alguma grande aventura!

– Como assim? Grauben, você não vai tentar me dissuadir de uma expedição como essa?

– Não, querido Axel, e acompanharia você e seu tio com a maior boa vontade, se uma pobre moça não fosse um estorvo para vocês.

– Jura?

– Juro.

Ah, mulheres, moças, corações femininos, sempre incompreensíveis! Quando não são as mais tímidas dos seres, são as mais valentes! A razão não tem efeito sobre vocês. Ora essa! Essa menina me encorajava a empreender aquela expedição! Não teria medo nenhum de tentar a aventura. Ela me impelia à viagem, logo eu, que ela tanto amava!

Fiquei desconcertado e, por que não dizer, envergonhado.

– Grauben – retomei –, vamos ver se amanhã você continua pensando dessa forma.

– Amanhã, querido Axel, vou continuar pensando como hoje.

De mãos dadas, mas em profundo silêncio, continuamos nosso caminho. Eu estava completamente dividido pelas emoções do passeio.

"Afinal", pensei, "ainda falta muito para as calendas de julho, e, até lá, é possível que os acontecimentos curem meu tio de sua obsessão de viajar para o centro subterrâneo da Terra."

A noite havia caído quando chegamos à casa da Königstrasse. Estava pensando que encontraria a casa tranquila, meu tio deitado como de costume e a boa Marthe dando suas últimas espanadas da noite na sala de jantar.

Mas não tinha levado em conta a impaciência do professor. Encontrei-o gritando, agitado, no meio de uma tropa de carregadores que descarregava algumas mercadorias na rua. A velha empregada não sabia o que fazer nem onde enfiar a cabeça.

– Vem logo, Axel, se apresse, infeliz! – meu tio exclamou, avistando-me de longe. – Cadê minha mala que não está feita? E meus documentos que não estão em ordem? E a chave da minha bolsa de viagem que não encontro em lugar nenhum? E minhas polainas que não chegam?

Parei, estupefato. Fiquei sem voz. Foi com dificuldade que meus lábios articularam as palavras.

– Estamos de partida, então?

– Sim, moleque infeliz, que sai para passear, em vez de ficar aqui em casa!

– Estamos de partida? – repeti, com a voz fraca.

– Sim, depois de amanhã, ao raiar do dia.

Não quis ouvir mais nada, e me escondi no refúgio do meu quartinho.

Não havia mais dúvidas. Meu tio tinha passado a tarde toda à procura de parte dos objetos e utensílios necessários para a viagem. A calçada estava atulhada de escadas de corda, tochas, cantis, ganchos de ferro, picaretas, bastões de ferro, pás, um carregamento para, no mínimo, dez homens.

Tive uma noite pavorosa. No dia seguinte, ouvi me chamarem logo cedo. Estava decidido a não abrir a porta. Mas, como resistir à voz doce que dizia:

– Meu querido Axel?

Saí do quarto. Pensei que minha aparência desgrenhada, minha palidez, meus olhos vermelhos pela insônia fossem comover Grauben e fazê-la mudar de ideia.

– Ah, meu querido Axel! – ela disse. – Que bom que está melhor e que a noite o acalmou!

– Acalmou, foi? – exclamei.

Fui correndo para o espelho e, de fato, não estava com a aparência tão ruim quanto imaginava. Era inacreditável.

– Axel – disse Grauben –, tive uma longa conversa com meu tutor. Ele é um cientista audacioso, um homem de grande coragem, e você deve se lembrar de que o sangue dele corre nas suas veias. Ele me falou dos planos e esperanças que tem, por que e como pretende atingir esse objetivo. Ele vai conseguir, tenho certeza disso. Ah, querido Axel, como é bela essa dedicação à Ciência! Quanta glória aguarda Sr. Lidenbrock e seu companheiro de viagem! Na volta, Axel, você será um homem-feito, livre para falar, para agir, livre finalmente para...

Corando, Grauben não terminou a frase. Suas palavras me reanimaram. Mesmo assim, não conseguia acreditar em nossa partida. Levei-a até o gabinete do professor.

– Meu tio – eu disse –, está decidido mesmo que vamos partir?

– Como assim? Você duvida?

– Não – respondi, para não contrariá-lo. – Só queria saber para que tanta pressa.

– O tempo urge! O tempo corre a uma velocidade irreversível!

– Mas ainda é 26 de maio, falta muito para o fim de junho...

– Imbecil, você acha que é tão fácil assim chegar à Islândia? Se não tivesse saído feito um louco, teria ido comigo ao gabinete de Copenhague, na Liffender e Cia. Lá, teria visto que só existe um transporte de Copenhague para Reykjavik.

– E daí?

– E daí que ele só parte em 22 de junho. Se esperássemos até lá, chegaríamos tarde demais para ver a sombra do Scartaris cobrir a cratera do Snæfellsjökull. Por isso, precisamos chegar a Copenhague mais rápido para procurar outro meio de transporte. Vá fazer sua mala!

Eu não tinha o que responder. Voltei para o quarto. Grauben veio atrás. Foi ela quem se encarregou de colocar na maleta todos os objetos necessários para a viagem. Agia com a naturalidade de como se esse fosse um passeio para Lübeck ou Helgoland. Suas mãos pequenas iam e vinham sem nenhuma pressa. Conversava com a maior calma. Deu os motivos mais sensatos a favor da expedição. Estava me enfeitiçando, e senti uma enorme raiva dela. Houve vezes em que quase me irritei de verdade, mas ela não deu a mínima, e continuou a tarefa com a mesma metódica e tranquilidade.

Finalmente, fechou a última fivela da mala. Desci para o térreo. Ao longo daquele dia, os fornecedores de instrumentos de física, armas e aparelhos elétricos se multiplicaram. A coitada da Marthe estava ensandecida.

– O patrão ficou maluco, é? – ela me perguntou.

Fiz que sim com a cabeça.

– E vai levar o senhor junto?

Sim de novo.

– Para onde? – questionou.

Apontei o dedo para o centro da Terra.

– Para a adega? – exclamou a velha empregada.

– Não – disse finalmente –, mais para baixo!

A noite caiu. Eu tinha perdido a noção do tempo.

– Amanhã de manhã – disse meu tio – vamos partir exatamente às seis horas.

Às dez caí na cama como um corpo inerte. Durante a noite, voltei a ficar apavorado. Comecei a sonhar com abismos! Estava à beira do delírio. Sentia que a mão forte do professor me apertava, me arrastava, me jogava no abismo embaixo da terra! Despencava até o fundo de precipícios insondáveis com uma rapidez crescente de corpos jogados no espaço. Minha vida não passava de uma queda interminável.

Acordei às cinco horas, morto de cansaço e agitação. Desci para a sala de jantar. Meu tio já estava à mesa, comendo como um louco. Eu o observei, horrorizado. Mas Grauben estava lá. Não disse nada. Não consegui comer.

Às cinco e meia, ouvimos o barulho de um grande coche na rua. Tinha vindo para nos levar à ferrovia de Altona. Foi imediatamente atulhado com os pacotes do meu tio.

– Cadê sua mala? – ele me perguntou.

– Está pronta – respondi, desfalecendo.

– Então desça logo essa mala ou vamos perder o trem!

Parecia impossível lutar agora contra meu destino. Voltei a subir ao quarto e fui empurrando a mala escada abaixo.

Depois disso, meu tio entregou solenemente a Grauben "as rédeas" da casa. Minha bela virlandesa mantinha a calma de sempre. Deu um beijo no tutor, e não conseguiu conter uma lágrima, que escorreu até seus doces lábios.

– Grauben! – exclamei.

– Vá, meu querido Axel, vá – ela me disse. – Você está deixando sua noiva, mas, quando voltar, vai encontrar sua esposa.

Abracei Grauben com força e entrei no coche. Da soleira da porta, ela e Marthe nos deram um último adeus. Depois, os dois cavalos, instigados pelo assovio do cocheiro, começaram a galopar pela estrada de Altona.

CAPÍTULO 8

Altona, um verdadeiro subúrbio de Hamburgo, é a primeira estação da ferrovia de Kiel, que nos levaria até as margens do Belt. Em menos de vinte minutos, entraríamos no território da Holsácia. Às seis e meia, o coche parou diante da estação. Os diversos pacotes do meu tio, com seus volumosos artigos de viagem, foram descarregados, transportados, pesados, etiquetados e carregados no vagão de bagagens, e, às sete horas, estávamos sentados de frente um para o outro no mesmo compartimento. O vapor apitou, e a locomotiva entrou em movimento. Partimos.

Se eu estava resignado? Ainda não. Mas o ar fresco da manhã e os detalhes da estrada, que mudavam rapidamente pela velocidade do trem, distraíram-me da minha grande preocupação.

Já a mente do professor adiantava-se visivelmente ao comboio lento demais para sua impaciência. Estávamos praticamente sozinhos no vagão, mas não trocamos uma palavra. Meu tio examinava os bolsos e a mala de viagem com uma atenção minuciosa. Vi que não faltava nenhum dos objetos necessários para a execução de seus projetos.

Entre outras coisas, havia um papel, dobrado cuidadosamente, com o cabeçalho da chancelaria dinamarquesa e a assinatura do Sr. Christiensen, cônsul em Hamburgo e amigo do professor. Esse papel nos ajudaria muito a obter recomendações ao governador da Islândia quando chegássemos a Copenhague.

Vi também o famigerado documento escondido como um tesouro no bolso secreto da carteira. Amaldiçoei aquele papel com todas as minhas forças e voltei a observar a província. Era uma série de planícies um pouco curiosas, monótonas, lamacentas e bastante férteis: um campo muito favorável para a instalação de uma ferrovia e propício às linhas retas tão preciosas para as empresas ferroviárias.

Mas mal tive tempo de me cansar dessa monotonia, porque, apenas três horas depois da nossa partida, o trem chegou a Kiel, à beira do mar.

Como nossas bagagens já tinham sido despachadas para Copenhague, o professor não teve de cuidar delas. Mesmo assim, seguiu-as com o olhar inquieto conforme eram transportadas para o barco a vapor, onde desapareceram no fundo do porão.

Com sua pressa, meu tio havia calculado tão mal os horários de transferência entre trem e barco que acabamos perdendo um dia inteiro. O barco a vapor *Ellenora* só partiria depois do cair da noite. Disso veio uma irritação de nove horas, durante as quais o viajante irascível mandava aos diabos a administração dos barcos e ferrovias e os governos que toleravam um abuso desses. Tive de demonstrar apoio quando ele abordou o capitão do *Ellenora* sobre o assunto. Ele queria obrigá-lo a partir imediatamente. O capitão mandou-o passear.

Em Kiel o tempo também passa como em qualquer outro lugar. Fomos obrigados a passear pelas margens verdejantes da baía, ao fundo das quais se erguia a cidadezinha, percorrer os bosques frondosos que faziam a cidade parecer um ninho em meio a um feixe de galhos, admirar as mansões, todas acompanhadas por sua casinha de banhos frios, até que, finalmente, correndo e praguejando, chegamos às vinte e duas horas.

Os turbilhões da fumaça do *Ellenora* subiam aos céus. A ponte sacudia pelos tremores da caldeira. Subimos a bordo, donos de duas camas dispostas na única cabine do barco.

Às vinte e duas e quinze, soltaram-se as amarras e o barco a vapor cortou velozmente as águas sombrias do grande Belt.

A noite estava escura. Ventava bastante e o mar estava bravo. Algumas vezes, surgiram luzes na costa em meio às trevas. Mais tarde, não sei bem quando, um farol iluminou as ondas. Isso é tudo de que me lembro dessa primeira travessia.

Às sete horas, desembarcamos em Korsør, uma cidade pequena situada na costa ocidental da Zelândia. Lá, trocamos o barco por outra ferrovia, que nos levou por uma região tão plana quanto os campos de Holsácia.

Ainda faltavam umas três horas de viagem para chegarmos à capital da Dinamarca. Meu tio não tinha pregado os olhos durante a noite. Sua impaciência era tanta, que eu achava bem possível que, mais cedo ou mais tarde, fosse empurrar o vagão com os próprios pés.

Finalmente, ele avistou um pedaço do mar.

– O Sund! – ele exclamou.

À sua esquerda, havia um prédio enorme que parecia um hospital.

– É um manicômio – comentou um dos nossos companheiros de viagem.

"Bom", pensei, "está aí um lugar onde deveríamos ir parar! E, por maior que seja, esse hospício vai ser pequeno demais para conter toda a loucura do professor Lidenbrock!"

Às dez horas, finalmente, colocamos os pés em Copenhague. As bagagens foram carregadas em um coche e conduzidas conosco até o Hotel Phoenix, na Bredgade. Isso tudo levou uma meia hora, pois a estação fica fora da cidade. Depois de um banho rápido, meu tio me arrastou atrás dele. O porteiro do hotel falava alemão e inglês, mas, como o professor era poliglota, perguntou-lhe em bom dinamarquês onde ficava o Museu de Antiguidades do Norte e, em bom dinamarquês, ouviu as indicações.

O diretor do curioso museu, onde estão reunidas as maravilhas que permitem reconstruir a história do país com suas velhas armas de pedra, seus cálices e suas joias, era um cientista, amigo do cônsul de Hamburgo, professor Thomson.

Meu tio tinha uma calorosa carta de recomendação para ele. A maioria dos cientistas recebe muito mal uns aos outros. Mas esse caso foi completamente diferente. Prestativo, Sr. Thomson acolheu o professor Lidenbrock e seu sobrinho com muita gentileza. Nem preciso mencionar que guardamos bem nosso segredo diante do excelentíssimo diretor do museu. Queríamos visitar a Islândia como simples turistas, sem nenhum interesse em particular.

Sr. Thomson colocou-se à nossa total disposição, e, então, percorremos o cais em busca de um navio que estivesse de partida.

Pensei que não haveria absolutamente nenhum meio de transporte, mas não foi isso o que aconteceu. Uma pequena escuna dinamarquesa chamada *Valkyrie* partiria para Reykjavik em 2 de junho. O capitão Bjarne estava a bordo. De tanta alegria, seu futuro passageiro apertou sua mão com tanta força que quase a quebrou. Aquele homem valente ficou um pouco surpreso com tamanha cordialidade. Ele achava muito normal viajar à Islândia, já que essa era sua profissão. Meu tio achava sublime. O digno capitão se aproveitou do entusiasmo para nos cobrar o dobro da passagem. Mas só depois fomos nos dar conta disso.

– Embarquem na terça-feira às sete horas da manhã – anunciou o Sr. Bjarne, depois de ter embolsado um número considerável de dólares.

Agradecemos ao Sr. Thomson sua solicitude e voltamos ao Hotel Phoenix.

– Está tudo indo muito bem! Muito bem! – repetiu meu tio. – Que sorte a nossa encontrar um barco prestes a partir! Agora vamos almoçar e visitar a cidade.

Fomos à Kogens Nytorv, uma praça irregular onde se encontra um posto militar com dois canhõezinhos fixos e inocentes que não amedrontam ninguém. Pertinho dali, no nº 5, havia um restaurante francês de um cozinheiro chamado Vincent. Comemos o bastante pelo preço razoável de quatro marcos cada.

Depois, tive um prazer quase infantil ao percorrer a cidade. Meu tio andava tão distraidamente que não viu nada direito, nem o palácio insignificante do rei; nem a linda ponte do século XVII que atravessa o canal à frente do museu; nem o cenotáfio imenso de Thorvaldsen, decorado com murais de pinturas horrorosas, que contém pinturas do escultor; nem o castelo simpático de Rosenborg dentro do belo parque; nem o edifício renascentista admirável da Bolsa, cujo campanário era formado pelas caudas entrelaçadas de quatro dragões de bronze; nem os grandes moinhos como muralhas, cujas asas enormes inflavam-se como as velas de um navio ao sabor dos ventos.

Que passeios agradáveis teríamos feito eu e minha bela virlandesa à beira do porto, onde os barcos e fragatas dormiam tranquilamente sob suas coberturas vermelhas, pelas margens verdejantes do estreito, entre as sombras frondosas no centro das quais se escondia a cidadela, cujos canhões estendiam suas gargantas enegrecidas em meio aos galhos de sabugueiros e salgueiros!

Mas, infelizmente, minha pobre Grauben estava longe, e era bem provável que eu nunca mais a visse!

Embora meu tio mal tivesse reparado nesses lugares encantadores, ele ficou fortemente impressionado pela visão de um campanário situado na Ilha Amak, que forma a região sudoeste de Copenhague.

Ele mandou que nos levássemos naquela direção. Subi num barquinho a vapor que atravessava os canais e, em poucos instantes, aportamos no cais do estaleiro.

Depois de atravessarmos algumas ruas estreitas, onde alguns galerianos de calças amarelas e cinza trabalhavam sob a ameaça dos cassetetes dos policiais, chegamos diante da Vor Frelsers Kirke. A igreja não tinha nada de extraordinário. Mas foi o campanário alto que havia chamado a atenção do professor: de uma plataforma, subia uma escada exterior que circulava a torre, e suas espirais subiam até o céu.

– Vamos subir – disse meu tio.

– Mas, e a vertigem? – retruquei.

– É mais um motivo. Precisamos nos acostumar.

– Mas...

– Vamos rápido, não temos tempo a perder.

Tive de obedecer. O guarda, que morava do outro lado da rua, nos emprestou a chave e começamos a subir.

Meu tio ia à minha frente a passos ágeis. Eu o seguia apavorado, pois era terrivelmente fácil sentir minha cabeça girando. Faltavam-me a ousadia e os nervos de ferro das águias.

Enquanto estávamos fechados dentro da escada interior, tudo corria bem. Mas, depois de uns cinquenta degraus, senti o vento bater no meu rosto. Tínhamos chegado à plataforma do campanário. Ali começava a escada ao ar livre, protegida por um frágil corrimão, cujos degraus, cada vez mais estreitos, pareciam subir ao infinito.

– De jeito nenhum! – exclamei.

– Você é covarde por acaso? Suba! – o professor retrucou, inclemente.

Fui obrigado a segui-lo, agarrado ao corrimão. O vento forte me aturdia. Eu sentia o campanário balançar com as rajadas. Meus joelhos vacilavam. Logo comecei a subir de joelhos, depois me arrastando de barriga. Fechei os olhos. Sentia vertigens.

Finalmente, com meu tio me puxando pelo colarinho, me aproximei do topo.

– Olhe – ele me disse –, olhe bem! É preciso aprender com o abismo!

Abri os olhos. Avistei as casas achatadas, como que esmagadas por uma queda em meio à cerração da névoa. Sobre a minha cabeça passavam nuvens desenfreadas e, por uma ilusão de ótica, pareceu-me que estavam imóveis, enquanto o campanário, a torre e eu éramos arrastados numa velocidade inacreditável. Ao longe, de um lado, estendia-se um campo verdejante, do outro, o mar que cintilava sob um feixe de raios. O Sund estendia-se até a ponta do Helsingor, com algumas velas brancas como asas de gaivotas, e, em meio à bruma do leste, as costas quase ocultas da Suécia ondulavam. Toda essa imensidão girou diante dos meus olhos.

Apesar disso, tive de me levantar, endireitar-me e olhar tudo aquilo. A primeira aula de vertigem durou uma hora. Quando, finalmente, o professor me permitiu voltar a descer para tocar os pés na calçada sólida, estava exausto.

– Voltamos amanhã – ele anunciou.

E realmente, durante cinco dias, repeti esse exercício vertiginoso e, querendo ou não, fiz um progresso considerável na arte de "contemplações nas alturas".

CAPÍTULO 9

Chegou o dia da partida. No dia anterior, o gentil Sr. Thomson havia nos levado cartas de recomendação prementes para o conde Trampe, governador da Islândia, para o Sr. Pietursson, coadjutor do bispo, e para o Sr. Finsen, prefeito de Reykjavik. Em retribuição, meu tio lhe ofereceu os mais calorosos apertos de mão.

No dia 2, às seis da manhã, nossas preciosas bagagens foram levadas a bordo do *Valkyrie*. O capitão nos conduziu a cabines muito estreitas dispostas numa espécie de camarote no convés.

– O vento está bom? – perguntou meu tio.

– Está excelente – respondeu o capitão Bjarne. – Um vento de sudeste. Vamos sair do Sund com tempo bom, todas as velas içadas.

Alguns instantes depois, sob sua mezena, brigantina, gávea e joanete, a escuna se emparelhou e chegou rapidamente ao estreito. Uma hora depois, a capital da Dinamarca parecia mergulhar nas ondas distantes, enquanto a *Valkyrie* se aproximava da costa de Helsingor. No meu nervosismo, estava à espera de ver a sombra do Hamlet errante sobre a terra lendária.

"Ah, louco sublime!", pensei. "Você provavelmente aprovaria nossa viagem! Talvez até nos acompanhasse ao centro da Terra para ver se encontrava a resposta à sua dúvida eterna!"

Mas nada surgiu sobre as antigas muralhas. O castelo, aliás, é bem mais jovem do que o príncipe heroico da Dinamarca. Atualmente, serve para recepcionar os 15 mil navios de todas as nações que passam pelo estreito de Ødesund.

O castelo de Kronborg logo desapareceu em meio à bruma, assim como a torre de Helsinborg, na costa sueca, e a escuna inclinou-se levemente sob as brisas de Kattegat.

A *Valkyrie* era um ótimo barco a vela, mas nunca se sabe o que esperar de embarcações como essa. Ela transportava carvão, utensílios domésticos, cerâmica, roupas de lã e um carregamento de trigo para Reykjavik. Uma tripulação de cinco homens, todos dinamarqueses, era suficiente para manobrá-la.

– Quanto tempo vai durar a travessia? – meu tio perguntou ao capitão.

– Uns dez dias – respondeu ele –, se não enfrentarmos muitas rajadas de noroeste perto das Ilhas Féroe.

– Mas imagino que não sofram muitos atrasos consideráveis?

– Não, Sr. Lidenbrock, fique tranquilo, vamos chegar a tempo.

Ao cair da noite, a escuna dobrou o cabo Skagen na ponta norte da Dinamarca; durante a noite, atravessou o Skagerrak, navegou ao longo das costas da Noruega pelo cabo Lindesness e adentrou o mar do Norte.

Dois dias depois, avistamos as costas da Escócia na altura de Peterheade, e a *Valkyrie* se dirigiu rumo às Féroe, passando entre as Ilhas Órcades e Shetland.

Em pouco tempo, as ondas do Atlântico batiam contra nossa escuna. Fomos obrigados a enfrentar o vento norte para chegar com dificuldade às Ilhas Féroe. No oitavo dia, o capitão avistou Mykines, a ilha mais oriental do arquipélago, e, a partir de então, rumamos direto ao cabo Portland, situado na costa meridional da Islândia.

A travessia foi tranquila. Aguentei muito bem as provações do mar, já meu tio passou o tempo todo enjoado, o que só o fez ficar mais enjoado e envergonhado.

Por isso, não teve como perguntar ao capitão Bjarne sobre o Snæfellsjökull, os meios de comunicação ou os de transporte. Teve de adiar todas essas informações para quando aportássemos, e ele passou o tempo todo deitado em sua cabine, cujas divisórias rangiam pelos balanços do mar. Devo confessar que achei seu sofrimento merecido.

No décimo primeiro dia, avistamos o cabo Portland. O tempo aberto permitiu ver o Mýrdalsjökull, que se erguia sobre a região. O cabo era composto por um grande morro de encostas íngremes, assentado solitário sobre a praia.

A *Valkyrie* deu a volta pela costa a uma distância razoável, rumo ao oeste, em meio a inúmeras baleias e tubarões. Logo despontou um imenso rochedo aberto no qual o mar espumoso batia com fúria. As ilhotas Vestmannaeyjar pareciam emergir do oceano como sementes de rochas sobre a planície líquida. A partir desse momento, a escuna tomou impulso para dobrar, a uma boa distância, a península de Reykjanes, que fecha o ângulo ocidental da Islândia.

O mar, bravo demais, impedia que meu tio subisse à ponte para admirar as costas entalhadas e abalroadas pelos ventos do sudoeste.

Quarenta e oito horas depois, saindo de uma tempestade que obrigou a escuna a fugir e recolher o velame, avistamos ao leste os sinais da ponta de Skagen, cujas rochas perigosas estendiam-se a uma grande distância sobre as ondas. Um piloto islandês subiu a bordo e, três horas depois, a *Valkyrie* aportou diante de Reykjavik, na baía de Faxa.

O professor finalmente saiu de sua cabine, um pouco pálido e abatido, mas ainda entusiasmado e com um brilho de satisfação nos olhos.

A população da cidade, muito interessada pela chegada de um navio que devia ter algo de interesse a todos, agrupava-se no cais.

Meu tio estava ansioso para abandonar sua prisão flutuante – para não dizer hospital. Mas, antes de desembarcar, puxou-me até a proa, onde, com o dedo, apontou para a parte setentrional da baía na direção de uma alta montanha de dois cumes, um cone duplo coberto de neve eterna.

– O Snæfellsjökull! ele exclamou. – O Snæfellsjökull!

Depois de me fazer um gesto para manter silêncio absoluto, desceu para o bote que o aguardava. Desci em seguida, e, logo depois, colocamos os pés em solo islandês.

Primeiro apareceu um homem bem-apessoado em trajes de general, mesmo não passando de um magistrado. Era o governador da ilha, o barão Trampe em pessoa. O professor reconheceu o governador, entregou-lhe as cartas de Copenhague e tiveram uma breve conversa em dinamarquês, da qual obviamente não entendi bulhufas. Mas o resultado desse primeiro encontro foi que o barão Trampe se colocou completamente à disposição do professor Lidenbrock.

Meu tio foi muito bem recebido pelo prefeito, Sr. Finson, que se vestia de maneira tão militar quanto o governador, e tinha um temperamento igualmente tranquilo e atencioso. Quanto ao coadjutor, Sr. Pictursson, estava fazendo uma visita episcopal ao bailiado do norte; não teríamos como ser apresentados a ele. Em compensação, conhecemos um homem encantador cuja ajuda se provou muito valiosa, Sr. Fridriksson, professor de ciências naturais na escola de Reykjavik. Esse estudioso modesto só falava islandês e latim. Ele me ofereceu seus serviços na língua de Horácio, e senti que nos entendemos bem. Foi, aliás, a única pessoa com quem consegui conversar durante toda a minha estada na Islândia.

Esse homem excelente nos ofereceu dois dos três cômodos de sua casa, e logo nos instalamos junto com nossas bagagens, cuja quantidade espantou bastante os habitantes de Reykjavik.

– Viu, Axel? – disse meu tio. – Está tudo correndo bem, e o mais difícil já passou.

– Como assim, o mais difícil? – questionei.

– Claro, agora só falta descer!

– Colocando dessa forma, o senhor tem razão. Mas, depois de descer, vamos precisar subir, certo?

– Ah, isso não me preocupa nem um pouco! Vamos lá! Não temos tempo a perder. Estou indo à biblioteca. Quem sabe não encontro lá algum manuscrito de Saknussemm que seja bom consultar?

– Nesse meio-tempo, então, vou visitar a cidade. O senhor não quer ir?

– Ah, não tenho muita vontade. O que tem de interessante na Islândia não está em cima, mas embaixo.

Saí e fui andando ao acaso. Foi fácil encontrar meu caminho pelas ruas de Reykjavik. Em nenhum momento precisei pedir direções, o que, na linguagem de sinais, daria margem a muitos mal-entendidos.

A cidade estende-se sobre um solo lodacento entre duas colinas; de um lado, é coberta por um imenso deslizamento de lavas e desce em rampas suaves para o mar; do outro, estende-se a enorme baía de Faxa, limitada ao norte pela gigantesca geleira do Snæfells e em cujo ancoradouro repousava sozinha a *Valkyrie*. Normalmente, as guardas pesqueiras inglesas e francesas ficam ancoradas ao largo, mas agora estavam em serviço nas costas orientais da ilha.

A mais comprida das duas ruas de Reykjavik é paralela ao litoral. Ali moram os mercadores e negociantes em cabanas de madeira feitas de toras vermelhas horizontais. A outra, situada mais a oeste, segue para um laguinho entre as casas do bispo e as de outras pessoas que não trabalham com o comércio. Não demorei muito para percorrer essas ruas melancólicas e tristes. Algumas vezes, entrevia um trecho de grama descolorida, como um velho tapete de lã desgastado pelo uso, ou então uma espécie de horta com alguns legumes, batatas, repolhos e alfaces que, de tão mirrados, poderiam muito bem ser servidos à mesa de um liliputiano. Alguns goiveiros doentios também tentavam tomar um pouco de sol.

Perto do meio da rua sem comércio, encontrei o cemitério público cercado por um muro de barro dentro do qual não faltavam lugares. Mais à frente, passei pela casa do governador, um casebre se comparado à prefeitura de Hamburgo, mas um palácio perto das casinhas da população islandesa.

Entre o laguinho e a cidade, erguia-se a igreja, construída à moda protestante, com pedras calcinadas oferecidas pelos próprios vulcões. Era provável que os ventos fortes do oeste fizessem voar suas telhas vermelhas, para grande tristeza dos fiéis.

Numa colina, ali por perto, avistei a Escola Nacional, que, como descobri mais tarde no hotel, ensinava hebraico, inglês, francês e dinamarquês, quatro línguas das quais, para minha vergonha, não conhecia uma palavra. Eu seria o último dos quarenta alunos do colégio, indigno de uma cama nos dormitórios, estreitos como armários, onde os mais delicados sofreriam desde a primeira noite.

Em três horas eu tinha visitado não apenas a cidade, mas também seus arredores. O aspecto geral da região era completamente triste. Não havia árvores nem vegetação alguma. Em toda parte, havia arestas afiadas de rochas vulcânicas. As cabanas dos islandeses são feitas de barro e turfa, com as paredes inclinadas para dentro. Parecem telhados estendidos no chão. Por mais curioso que seja, os telhados parecem pradarias relativamente férteis, pois, graças ao calor da habitação, a grama cresce sobre eles com bastante perfeição; é preciso cortá-la cuidadosamente na época da ceifa para que os animais domésticos não pastem em cima das casinhas verdejantes.

Encontrei poucos habitantes durante meu passeio. Quando voltei à rua do comércio, vi que a maior parte da população trabalhava secando, salgando e carregando bacalhaus, o principal artigo de exportação da cidade. Os homens pareciam espécies de louros alemães mais robustos e fortes, com o ar melancólico de quem se sente à margem da humanidade, pobres exilados relegados a essa terra de gelo que a natureza quase tornou esquimós, já que eram condenados a viver nos limites do círculo polar! Tentei em vão encontrar um sorriso no rosto de algum deles. Às vezes, até riam por uma contração involuntária dos músculos, mas sorrir? Nunca.

Suas roupas consistiam num casaco grosseiro de lã preta conhecida nos países escandinavos como *vadmel*, um chapéu de abas largas, calças de barras vermelhas e um pedaço de couro dobrado para servir de calçado.

As mulheres, de rostos tristes e resignados, muito bonitas, mas inexpressivas, usavam corpete e saia de *vadmel* escura. Sobre os cabelos trançados em forma de coroa, as solteiras usavam uma pequena touca de tricô marrom, ao passo que as casadas amarravam um lenço colorido na cabeça, preso no alto por um tecido branco.

Depois do longo passeio, quando voltei à casa do Sr. Fridriksson, meu tio já estava ali acompanhado por nosso anfitrião.

CAPÍTULO 10

O jantar estava pronto e foi devorado com avidez pelo professor Lidenbrock, cuja dieta forçada a bordo havia transformado seu estômago num poço sem fundo. A refeição, mais dinamarquesa do que islandesa, não teve nada de extraordinário em si. Mas nosso anfitrião, mais islandês do que dinamarquês, lembrava-me os heróis da hospitalidade antiga. Parecia até que a casa era nossa, e ele o convidado.

A conversa foi na língua local, que meu tio entremeava com alemão e Sr. Fridriksson com latim para que eu entendesse. Trataram de questões científicas, como é típico de estudiosos, mas o professor Lidenbrock manteve a mais completa reserva e, a cada frase, lançava-me um olhar pedindo silêncio absoluto sobre nossos futuros projetos.

Sr. Fridriksson logo perguntou ao meu tio sobre o que tinha encontrado na biblioteca.

– Biblioteca? – indagou ele. – Não passam de meia dúzia de livros espalhados em estantes quase desertas.

– Como assim? – retrucou Sr. Fridriksson. – Temos mais de 8 mil volumes, incluindo alguns muito raros e preciosos, obras na antiga língua escandinava e todas as novidades, enviadas anualmente de Copenhague.

— Onde vocês guardam esses 8 mil volumes? Pelas minhas contas...

— Ah, Sr. Lidenbrock, eles circulam pelo país. Nossa velha ilha adora ler! Não há um fazendeiro, um pescador que não saiba ler ou que não leia. Acreditamos que, em vez de ficar criando mofo atrás de uma grade de ferro, longe dos olhares curiosos, os livros são feitos para ler. Por isso, os volumes circulam de mão em mão, são folheados, lidos e relidos, e é comum só voltarem à estante depois de um ano ou dois.

— Enquanto isso — retrucou meu tio, um pouco ressentido —, os estrangeiros...

— Fazer o quê? Os estrangeiros têm suas próprias bibliotecas, e nossa prioridade é instruir nossos camponeses. Digo e repito: o amor aos estudos está no sangue islandês. Em 1816, fundamos a Sociedade Literária, que está indo muito bem. Muitos intelectuais do exterior se orgulham de fazer parte dela. Ela já publicou livros destinados à educação de nossos compatriotas e presta excelentes serviços ao país. Se quiser ser um dos nossos membros correspondentes, Sr. Lidenbrock, vai ser uma grande honra para nós.

Meu tio, que já pertencia a uma centena de sociedades científicas, aceitou o convite de bom grado, o que deixou Sr. Fridriksson comovido.

— Mas — ele retomou — diga que livros o senhor queria encontrar na nossa biblioteca e talvez eu consiga dizer onde estão.

Fiquei observando meu tio. Ele hesitou para responder. A resposta envolvia muito intimamente seus projetos. Mas, depois de refletir bastante, ele decidiu falar.

– Sr. Fridriksson – ele disse –, queria saber se, entre as obras antigas, vocês teriam as de Arne Saknussemm?

– Arne Saknussemm! – exclamou o professor de Reykjavik. – O intelectual do século XVI, grande naturalista, alquimista e viajante?

– O próprio!

– Uma das glórias da literatura e da ciência islandesa?

– Exatamente!

– Um de fama mundial?

– Com toda certeza!

– De uma audácia que beira a genialidade?

– Estou vendo que o conhece bem! – meu tio quase sufocava de alegria ouvindo alguém falar assim de um de seus heróis. Devorava Sr. Fridriksson com os olhos. – E então? – perguntou. – E as obras?

– Ah, as obras nós não temos!

– Como assim? Em nenhum lugar na Islândia?

– Não existem nem na Islândia nem em lugar nenhum.

– Por que não?

– Porque Arne Saknussemm foi perseguido por heresia, e, em 1573, suas obras foram incendiadas em Copenhague por um carrasco.

– Que ótimo! Perfeito! – exclamou meu tio, para escândalo do professor de ciências naturais.

– Como é? – questionou.

– Sim! Está tudo explicado, tudo se encaixa, tudo está claro, e agora entendo por que Saknussemm, colocado na lista negra e obrigado a esconder as descobertas de sua genialidade, precisou colocar o segredo num criptograma incompreensível...

– Que segredo? – perguntou Sr. Fridriksson, curioso.

– Um segredo que... que... – balbuciou meu tio.

– O senhor tem algum documento em particular? – continuou nosso anfitrião.

– Não. Era só uma suposição.

– Bom – retrucou Sr. Fridriksson, que teve a bondade de não insistir quando viu a perturbação de seu interlocutor. – Imagino que não vá deixar a ilha antes de estudar nossas riquezas mineralógicas, certo?

– É claro que não – respondeu meu tio. – Mas cheguei um pouco tarde demais, não? Outras cientistas já não passaram por aqui?

– Sim, Sr. Lidenbrock. Os trabalhos de Olafsen e Povalsen executados por ordem do rei, os estudos de Troïl, a missão científica de Gaimard e Robert a bordo da corveta francesa *La Recherche*,[*] e, recentemente, as observações dos cientistas que vieram na fragata *La Reine-Hortense* contribuíram muito para o reconhecimento da ilha. Mas sempre há mais que pesquisar.

– O senhor acha? – perguntou meu tio com ar ingênuo, tentando esconder o brilho de seus olhos.

– Sim. Falta estudar tantas montanhas, geleiras e vulcões pouco conhecidos! Está vendo aquele monte que se ergue no horizonte? É o Snæfellsjökull.

– Ah – disse meu tio –, Snæfellsjökull.

– Sim – um dos vulcões mais curiosos e cuja cratera quase nunca foi visitada.

---

[*] *La Recherche* foi enviada em 1835 pelo almirante Duperré para encontrar os vestígios da expedição perdida de Blosseville e *La Lilloise*, da qual nunca se teve notícias.

— Está extinto?
— Ah, sim, há quinhentos anos.
— Bom – disse meu tio, que cruzava as pernas freneticamente para não sair saltando no ar –, acho que vou começar meus estudos geológicos por esse Seffel... Fessel... como é mesmo o nome?
— Snæfellsjökull – repetiu o gentil Sr. Fridriksson.

Essa parte da conversa tinha acontecido em latim. Entendi tudo, e estava difícil me manter sério vendo meu tio conter seu entusiasmo transbordante. Ele fingia uma expressão inocente que mais parecia uma carranca de diabo velho.

— Sim – ele continuou –, suas palavras me fizeram decidir. Vamos tentar escalar o Snæfellsjökull, talvez até estudar sua cratera!

Sr. Fridriksson respondeu:
— É uma pena que minhas ocupações não me permitam me ausentar. Seria um prazer acompanhar vocês.
— Ah, o que é isso! – retrucou meu tio, vivamente. – Não queremos atrapalhar ninguém, Sr. Fridriksson. Agradeço de coração. A presença de um estudioso como o senhor seria muito útil, mas os deveres da sua profissão...

Prefiro pensar que nosso anfitrião, com a inocência da alma islandesa, não entendeu a ironia do meu tio, e disse:
— Dou todo o meu apoio, Sr. Lidenbrock, que comece por esse vulcão. Vai coletar uma quantidade imensa de observações curiosas. Mas, diga-me, como pretende chegar à península do Snæfellsjökull?
— Pelo mar, atravessando a baía. É o caminho mais rápido.
— Imagino que sim, mas é impossível.

– Por quê?
– Porque não temos nenhum bote em Reykjavik.
– Que diabos!
– Vai ser preciso ir por terra, seguindo a costa. Vai ser um caminho mais longo, mas interessante.
– Bom, então vou procurar um guia.
– Tenho um perfeito para recomendar.
– Um homem inteligente e de confiança?
– Sim, habitante da península. É um caçador de êider muito habilidoso que vai ser ótimo para vocês. Fala dinamarquês perfeitamente.
– E quando poderei conhecê-lo?
– Amanhã mesmo, se quiser.
– Por que não hoje?
– Porque ele só chega amanhã.
– Amanhã, então – concordou meu tio, com um suspiro.

Essa conversa importante terminou alguns minutos depois com os agradecimentos fervorosos do professor alemão ao islandês. Durante o almoço, meu tio descobriu várias coisas importantes, como a história de Saknussemm, o motivo do mistério do documento, que seu anfitrião não o acompanharia em sua expedição, e que, no dia seguinte, um guia estaria à sua disposição.

CAPÍTULO 11

À noite, dei um passeio rápido pela costa de Reykjavik e voltei cedo para me deitar na grande cama de tábuas, onde dormi profundamente.

Quando acordei, ouvi meu tio tagarelar na sala ao lado. Levantei na mesma hora e me apressei para ir ao seu encontro.

Ele estava conversando em dinamarquês com um homem alto e forte. Aquele grandalhão deveria ter uma força descomunal. Seus olhos, cravados numa cabeça grande, pareciam sagazes. Eram de um azul sonhador. Seu cabelo longo, que poderia se passar por ruivo, até na Inglaterra, caía na altura dos ombros musculosos. O nativo tinha movimentos ágeis, mas pouco mexia os braços, um homem que ignorava ou desprezava a linguagem dos gestos. Tudo nele revelava um temperamento de perfeita calma, não indolente, mas tranquilo. Dava para sentir que não era de pedir nada a ninguém, que trabalhava para seu sustento e que, em seu mundo, sua filosofia não tinha como ser surpreendida ou perturbada.

Notei essas nuances de personalidade pela maneira como o islandês escutava a verborragia inflamada do seu interlocutor. Ele ficava imóvel, de braços cruzados, enquanto meu tio gesticulava sem parar. Para dizer não, sua cabeça virava da esquerda para a direita. Inclinava-se para a frente para fazer que sim, num movimento tão suave que seu cabelo comprido mal se movia. Era uma economia de movimentos que beirava a avareza.

Vendo aquele homem, nunca imaginaria sua profissão de caçador. Duvido que assustasse a caça, mas como será que a pegava?

Tudo ficou claro quando Sr. Fridriksson me explicou que o rapaz tranquilo era apenas um "caçador de êider", uma ave cujas penas são a maior riqueza da ilha. Contou que a plumagem do pássaro é chamada de edredom, e que não é preciso muito movimento para capturá-lo.

Nos primeiros dias de verão, a fêmea do êider, uma espécie de pato belo, constrói seu ninho em meio aos rochedos de fiordes,* cuja costa é bastante erodida. Depois de construir o ninho, ela o forra com as plumas finas que tira do próprio ventre. O caçador, ou melhor, o negociante, chega rápido para pegar o ninho, e a fêmea recomeça seu trabalho. Isso dura até a penugem acabar. Quando está totalmente depenada, é a vez de o macho tirar as penas. No entanto, como a plumagem dura e grossa do macho não tem nenhum valor comercial, o caçador não se dá ao trabalho de roubar a cobertura do leito. Assim, o ninho fica pronto, a fêmea bota os ovos, os filhotinhos nascem e, no ano seguinte, a coleta de edredons recomeça.

Como a fêmea êider não escolhe as rochas escarpadas para construir seu ninho, mas sim as rochas fáceis e horizontais que vão se perder mar adentro, o caçador islandês podia

---

* Nome dado aos golfos estreitos dos países escandinavos.

exercer seu ofício sem muita agitação. Era como um fazendeiro que não precisava semear nem ceifar, apenas colher. Esse homem grave, fleumático e silencioso chamava-se Hans Bjelke. Tinha sido recomendado pelo Sr. Fridriksson. Era nosso futuro guia.

Seus trejeitos eram um contraste singular com os de meu tio.

No entanto, eles se entenderam perfeitamente bem. Nem um nem outro comentou do preço. Um estava disposto a aceitar qualquer valor que fosse oferecido, enquanto o outro estava disposto a pagar o que quer que lhe fosse cobrado. Nunca foi tão fácil concluir uma negociação.

Ficou combinado que Hans se comprometeria a nos levar até a cidadezinha de Stapi, situada na costa meridional da península, ao pé do vulcão. Seria preciso percorrer cerca de vinte e duas milhas por terra, uma viagem que duraria dois dias, segundo meu tio.

Mas, quando descobriu que se tratava de milhas dinamarquesas de mais de 7 mil metros, teve de refazer seus cálculos, e, considerando a precariedade das trilhas, contou sete ou oito dias de trajeto.

Quatro cavalos ficariam à sua disposição, dois para nós e os outros dois para as bagagens. Hans, seguindo seu hábito, iria a pé. Ele conhecia essa região da costa perfeitamente, e prometeu escolher o caminho mais curto.

Seu contrato com meu tio não terminaria com nossa chegada a Stapi. Ele ficaria à sua disposição durante todo o tempo necessário para nossas expedições científicas ao preço de três *rijksdaalder* por semana. Ficou combinado expressamente que essa soma seria paga ao fim de cada domingo, condição *sine qua non* do acordo.

Definiram a partida para o dia 16 de junho. Meu tio quis pagar um sinal, mas o caçador recusou com uma só palavra.

– *Efter* – ele disse.

– Depois – meu tio traduziu para me instruir.

Concluído o acordo, Hans se retirou de repente.

– Que homem interessante – exclamou meu tio. – Nem desconfia do papel maravilhoso que vai representar.

– Ele vai nos acompanhar até...

– Sim, Axel, até o centro da Terra.

Ainda faltavam quarenta e oito horas. Para meu grande pesar, tive de dedicá-las aos nossos preparativos. Aplicamos toda nossa inteligência para dispor cada objeto da maneira mais vantajosa, os instrumentos de um lado, as armas de outro, as ferramentas aqui, os víveres ali. Ao todo, eram quatro pacotes.

Os instrumentos incluíam:

Um termômetro centígrado de Eigel, graduado até os cento e cinquenta graus, o que me pareceu ao mesmo tempo excessivo e insuficiente. Excessivo porque, se o calor ambiente chegasse a esse ponto, seríamos cozidos. Insuficiente caso fosse destinado a medir a temperatura de fontes ou outros materiais em fusão.

Um manômetro de ar comprimido para indicar pressões superiores às da atmosfera no nível do mar. Afinal, um barômetro comum não bastaria, visto que a pressão atmosférica deveria subir proporcionalmente à medida que descêssemos à superfície da Terra.

Um cronômetro de Boissonas Filho, de Genebra, regulado perfeitamente com o meridiano de Hamburgo.
Duas bússolas de inclinação e declinação.
Uma luneta noturna.
Dois aparelhos de Ruhmkorff que, por meio de uma corrente elétrica, ofereciam uma luz muito portátil, confiável e fácil de carregar.*
As armas consistiam em duas carabinas da Purdley More e Cia., e dois revólveres Colt. Por que armas? Eu pensava que não depararíamos com nenhum selvagem nem animais ferozes. Mas meu tio parecia fazer tanta questão de seu arsenal quanto de seus instrumentos, sobretudo da quantidade significativa de algodão-pólvora, que não se alterava com a umidade, cuja força expansiva é muito superior à da pólvora comum.

---

* O aparelho de Ruhmkorff consiste numa pilha de Bunsen, ativada por meio do dicromato de potássio inodoro. Uma bobina de indução coloca em contato a eletricidade produzida pela pilha com uma lanterna de disposição particular. Dentro dessa lanterna, encontra-se uma serpentina de vidro oca, dentro da qual fica apenas um resíduo de gás carbônico ou nitrogênio. Quando o aparelho funciona, o gás se torna luminoso, gerando uma luz esbranquiçada e contínua. A pilha e a bobina são colocadas dentro de um saco de couro que o viajante carrega a tiracolo. A lanterna, posicionada exteriormente, ilumina muito bem em escuridões profundas. Permite aventurar-se, sem risco de explosão, em meio aos gases mais inflamáveis, e não se apaga sequer dentro de rios fortes. Ruhmkorff foi um cientista e físico talentoso. Sua maior descoberta é essa bobina de indução que permite produzir eletricidade em alta tensão. Em 1864, ganhou o prêmio quinzenal de 50 mil francos que a França oferecia à aplicação mais engenhosa de eletricidade.

As ferramentas incluíam duas pás, duas picaretas, uma escada de seda, três bastões de ferro, um machado, um martelo, uma dúzia de calços e pregos de ferro, e longas cordas feitas de nó. Isso tudo formava um pacote enorme, afinal, a corda media trinta metros de comprimento.

Por fim, as provisões. Não era um pacote lá muito grande, mas era tranquilizador, pois eu sabia que continha víveres para mais de seis meses, contando os biscoitos secos e a carne ressecada. De líquido, não levávamos água, apenas gim. Mas tínhamos cantis, e meu tio estava contando com as nascentes para enchê-los. Ele não deu ouvidos às minhas objeções sobre a qualidade, a temperatura ou mesmo a possibilidade de essas nascentes não existirem.

Para completar a relação exata de nossos artigos de viagem, vou citar a farmácia portátil, que continha tesouras de lâminas cegas, talas para fraturas, uma fita de tecido cru, faixas e compressas, esparadrapo, uma espátula para sangria, todos materiais atemorizantes. Além disso, levávamos uma série de frascos que continham dextrina, álcool vulnerário, acetato de chumbo, éter, vinagre e amoníaco, todos medicamentos de uso nada tranquilizador. Por fim, iam também os materiais necessários para os aparelhos de Ruhmkorff.

Meu tio fez questão de levar uma provisão de tabaco, pólvora de caça e iscas, e um cinto de couro que usava na cintura, onde guardava uma quantidade suficiente de moedas de ouro e prata e alguns papéis. Junto com as ferramentas, levava também seis pares de sapato impermeabilizados por uma camada de alcatrão e goma elástica.

— Vestidos, calçados e equipados dessa forma, não temos desculpa para não chegar longe — meu tio me disse.

Passamos todo o dia 14 organizando esses diferentes objetos. À noite, jantamos na casa do barão Trampe, acompanhados pelo prefeito de Reykjavik e pelo dr. Hyaltalin, o mais famoso médico do país. Sr. Fridriksson não estava entre os convidados — depois, descobri que ele e o governador haviam tido uma desavença por causa de uma questão administrativa e não se bicavam. Por isso não entendi uma só palavra dita durante aquele jantar semioficial. A única coisa que notei é que meu tio não parava de falar.

No dia seguinte, 15 de junho, terminamos os preparativos. Nosso anfitrião fez um enorme agrado ao professor, presenteando-o com um mapa da Islândia incomparavelmente mais perfeito que o Henderson. Era o mapa de Olaf Nikolas Olsen, reduzido na escala de 1:400000 e publicado pela Sociedade Literária Islandesa, segundo os trabalhos geodésicos de Scheel Frisac e o levantamento topográfico de Björn Gunlaugsonn. Era um documento valiosíssimo para um mineralogista.

Passamos a última noite tendo conversas particulares com Sr. Fridriksson, por quem eu sentia um profundo apreço. Depois da conversa, veio um sono muito agitado, pelo menos da minha parte.

Fui acordado às cinco da manhã pelo relinchar de quatro cavalos que batiam as patas embaixo da minha janela. Vesti-me às pressas e desci para a rua. Hans estava terminando de carregar nossas bagagens na maior tranquilidade. Paradoxalmente, trabalhava com uma agilidade incomum.

Meu tio mais atrapalhava do que ajudava, e o guia não parecia dar a mínima para as suas recomendações.

Às seis, tudo estava pronto. Sr. Fridriksson se despediu de nós. Meu tio agradeceu-lhe calorosamente, em islandês, a hospitalidade. Já eu tentei fazer a melhor saudação possível em latim. Depois, montamos e, com seu último adeus, Sr. Fridriksson direcionou-me o seguinte verso de Virgílio, que parecia ter sido feito para nós, viajantes de uma rota incerta:

Et quacumque viam dederit fortuna sequamur.

CAPÍTULO 12

Partimos com o tempo nublado, mas firme. Sem nenhum calor exaustivo ou chuvas desastrosas. Um clima digno de turistas.

O prazer de cavalgar por um país desconhecido me deixou de bom humor naquele começo de aventura. Sentia toda a felicidade de um turista de desejos e liberdade. Até que estava começando a gostar da ideia da viagem.

"Afinal", pensava comigo mesmo, "o que estou arriscando? Viajar por um país interessantíssimo, escalar uma montanha famosa e, na pior das hipóteses, descer ao fundo de uma cratera extinta? É evidente que Saknussemm não fez mais do que isso. Quanto à existência de uma galeria que leve ao centro do globo, isso não passa de imaginação, uma completa impossibilidade. É melhor aproveitar o que essa expedição tem de melhor e parar de resmungar!"

Quando finalmente concluí esse raciocínio, já havíamos saído de Reykjavik.

Hans caminhava na frente com passos rápidos, iguais e constantes. Os dois cavalos carregados com nossas bagagens o seguiam sem que ele tivesse de conduzi-los. Eu e meu tio íamos atrás, sem passar vergonha nenhuma em nossos animais pequenos, mas vigorosos.

A Islândia é uma das maiores ilhas da Europa. Estende-se por dois mil e trezentos quilômetros e conta com apenas 60 mil habitantes. Os geógrafos a dividiram em quatro partes, e tínhamos de atravessar quase de maneira transversal o quarto sudeste do país, chamado "Sudvestr Fjordùngr".

Ao deixarmos Reykjavik, Hans pegou imediatamente a costa do mar. Atravessamos pastos escassos, que se esforçavam ao máximo para ser verdes, por mais que o amarelo tivesse mais sucesso. Os picos rugosos das massas traquíticas nos acompanhavam do horizonte, sob as brumas orientais. Vez por outra, algumas áreas de neve, concentrando a luz difusa, resplandeciam nas encostas dos cumes distantes. Alguns picos mais corajosos perfuravam as nuvens cinza e ressurgiam acima dos vapores em movimento, feito bancos de areia emergidos em pleno céu.

Muitas vezes, essas cordilheiras de rochas áridas lançavam uma ponta para o mar e cortavam o pasto. Mas sempre sobrava um trecho suficiente para passarmos. Nossos cavalos, aliás, escolhiam os caminhos propícios por instinto, sem nunca diminuir o ritmo. Meu tio não tinha sequer o consolo de instigar sua montaria com a voz ou o chicote. Não podia ser impaciente. Era impossível não sorrir vendo-o tão alto em seu cavalinho e, como suas pernas longas roçavam o chão, ele parecia um centauro de seis patas.

– Que bicho bom! Que bicho maravilhoso! – ele exclamava. – Axel, você vai ver que nenhum animal tem a inteligência do cavalo islandês. Nem neves, tempestades, caminhos inacessíveis, rochedos, geleiras, nada o detém. Ele é valente, simples, seguro. Nunca dá um passo em falso, nunca empaca. Se aparecer algum rio ou algum fiorde para atravessar, e vai aparecer, você vai ver como ele se joga na água sem hesitar, como um anfíbio, e chega à margem oposta! Mas não podemos apressá-lo, temos que deixá-lo agir e, incentivando-nos uns aos outros, vamos avançar uns cinquenta quilômetros por dia.

– Acho que nós sim – respondi –, mas e o guia?

– Ah, com ele não me preocupo. Esse povo caminha sem nem perceber. Ele se move tão pouco que nem deve cansar. Além disso, se precisar, ofereço-lhe minha montaria. Logo mais vou sentir cãibras se não me movimentar um pouco. Os braços vão bem, mas tenho que pensar nas pernas.

Avançávamos num passo rápido. A região já era bastante deserta. Aqui e ali, uma ou outra fazenda isolada, algum *böer** solitário de madeira surgia feito um mendigo à beira da estrada vazia. Aquelas cabanas deterioradas pareciam implorar a caridade dos transeuntes; mais um pouco, seria possível que lhes déssemos esmolas. Naqueles campos não havia nenhuma estrada, nem mesmo uma trilha, e, por mais lenta que fosse, a vegetação logo tratava de apagar os rastros dos poucos viajantes.

No entanto, essa região da província, situada perto da capital, era uma das áreas habitadas e cultivadas da Islândia. Como seriam então as regiões mais desertas do que aquele deserto? Já havíamos percorrido quase um quilômetro e não tínhamos avistado nenhum fazendeiro à porta de sua cabana, nenhum pastor selvagem cuidando de um rebanho menos selvagem que ele. Vimos apenas algumas vacas e ovelhas abandonadas ao léu. Como seriam

---

* Casa rural islandesa.

então as regiões mais agitadas e abaladas pelos fenômenos eruptivos, nascidas de explosões vulcânicas e concussões subterrâneas?

Pensei que as conheceríamos depois. Mas, ao consultar o mapa de Olsen, vi que estávamos passando ao largo delas, costeando as bordas sinuosas do litoral. Afinal, o grande movimento plutônico ficava concentrado sobretudo no interior da ilha, onde as camadas horizontais e rochas sobrepostas, chamadas *trapps* em língua escandinava, as faixas traquíticas, as erupções de basalto, os tufos e todos os conglomerados vulcânicos, e as correntes de lava e de pórfiro em fusão davam à ilha um ar de terror sobrenatural. Eu não tinha dúvida do espetáculo que nos aguardava na península do Snæfellsjökull, onde os desgastes de uma natureza ardente formavam um caos formidável.

Duas horas depois de sair de Reykjavik, chegamos à vila de Gufunes, chamada "Aoalkirkja", ou Catedral. Não tinha nada de extraordinário. Só algumas casinhas. Na Alemanha, dificilmente seria um vilarejo.

Hans parou por aproximadamente meia hora. Comeu do nosso almoço simples, respondeu sim ou não às perguntas do meu tio sobre o trajeto e, quando ele lhe perguntou onde pretendia que passássemos à noite:

– Gardär – disse apenas.

Consultei o mapa para descobrir o que era esse tal de Gardär. Encontrei uma vila com esse nome às margens do Hvaljörd, a seis quilômetros de Reykjavik. Mostrei para o meu tio.

– Só seis quilômetros! – ele exclamou. – Seis de trinta e cinco quilômetros! Que passeio agradável!

Ele quis fazer um comentário para o guia, que, porém, não lhe deu ouvidos e voltou à frente dos cavalos para retomar a caminhada.

Três horas depois, sempre atravessando a grama descolorida dos pastos, precisamos contornar o Kollafjörd, um desvio mais fácil e menos longo do que a travessia daquele golfo. Logo entraríamos num "pingstaoer", lugar de jurisdição municipal, chamado Ejulberg, cujo relógio teria soado meio-dia se as igrejas islandesas tivessem dinheiro suficiente para um. Mas elas são muito parecidas com seus paroquianos, que não têm relógios e vivem muito bem sem eles.

Os cavalos descansaram um pouco ali. Depois, seguindo o litoral entre uma serra de colinas e o mar, chegamos rapidamente à *aoalkirkija* de Brantär e, um quilômetro e meio depois, à *annexia*, ou capela, de Saurböer, situada na margem meridional do Hvalfjörd.

Já eram quatro horas da tarde. Tínhamos percorrido mais de seis quilômetros.

Naquela encosta, o fiorde tinha, no mínimo, uns oitocentos metros. As ondas batiam ruidosamente sobre as rochas pontudas. Aquele golfo abria-se entre muralhas de rochedo, feito uma escarpa pontiaguda de quase um quilômetro de altura e distinto por suas camadas marrons que separavam os leitos de tufo de matiz avermelhada. Qualquer que fosse a inteligência de nossos cavalos, não me parecia um bom futuro atravessar um verdadeiro braço de mar no lombo de um quadrúpede.

– Se eles são mesmo inteligentes – disse eu –, não vão nem tentar atravessar. Seja como for, me encarrego de ser inteligente por eles.

Mas meu tio não conseguia esperar. Bateu rédea em direção à margem. Sua montaria farejou a última ondulação de ondas e empacou. Meu tio, que não tinha o mesmo instinto, voltou a esporar o cavalo. Mais uma recusa do animal, que sacudiu a cabeça. Mais xingamentos e chicotadas, mais coices do animal, que começava a derrubar seu cavaleiro. Finalmente, o cavalinho, curvando os jarretes, livrou-se das pernas do professor e o fez cair em pé sobre duas pedras da margem como o Colosso de Rodes.

– Ah, animal maldito! – exclamou o cavaleiro, subitamente transformado em pedestre e envergonhado como um oficial de cavalaria rebaixado a soldado raso.

– *Farja* – disse o guia, tocando em seu ombro.

– Como assim? Uma balsa?

– *Der* – respondeu Hans, apontando para um barco.

– Sim – exclamei –, tem uma balsa.

– Por que não me disse antes? Vamos logo!

– *Tivdatten* – respondeu o guia.

– O que ele disse?

– Disse maré – respondeu meu tio, traduzindo a palavra dinamarquesa.

– Acha que temos de esperar a maré passar?

– *Förbida?* – perguntou meu tio.

– *Ja* – respondeu Hans.

Meu tio apertou o passo, enquanto os cavalos se dirigiam para a balsa.

Entendi perfeitamente a necessidade de esperar o momento ideal para atravessar o fiorde, aquele em que o mar se acalma depois de ter alcançado a altura máxima. A partir de então, o fluxo e refluxo deixam de ter qualquer ação que dê para sentir, e a balsa não corre o risco de ser arrastada para o fundo do golfo nem para o mar aberto.

    Esse momento oportuno só chegou às seis da noite. Eu, meu tio, o guia, outros dois passageiros e os quatro cavalos entramos numa espécie de barcaça plana bastante frágil. Como eu estava acostumado com os barcos a vapor do Elba, achei os remos dos barqueiros um engenho mecânico infeliz. Levou mais de uma hora para atravessarmos o fiorde. Mas, finalmente, a passagem acabou sem nenhum acidente.

    Meia hora depois, chegamos à *Aoalkirkja* de Gardär.

CAPÍTULO 13

Era para estar escuro, mas, no paralelo sessenta e cinco, a claridade diurna das regiões polares não deveria me surpreender. Durante os meses de junho e julho o sol nunca se põe na Islândia.

Mesmo assim, a temperatura despencou. Eu estava com frio, mas, principalmente, com fome. O *böer* hospitaleiro que se abriu para nos receber foi muito bem-vindo.

Era a casa de um camponês, mas, em termos de hospitalidade, era melhor que um palácio. Assim que chegamos, o dono veio nos cumprimentar e, sem cerimônia, nos fez sinal para acompanhá-lo.

Segui-lo, na verdade, porque seria impossível andar lado a lado ali. Uma passagem longa, estreita e escura dava acesso à casa construída com vigas mal esquadriadas e levava a todos os seus aposentos. Eram quatro ao todo: a cozinha, a tecelagem, também chamada *baðstofa*, o quarto da família e, o melhor de todos, o quarto de hóspedes. Meu tio, em cuja altura ninguém tinha pensado durante a construção da casa, bateu a cabeça umas três ou quatro vezes nas saliências do teto.

Fomos levados ao nosso quarto, uma espécie de sala grande com chão de terra batida e iluminada por uma janela, cujas vidraças eram feitas de membranas de carneiro quase transparentes. A cama era composta por forragem seca espalhada sobre dois catres de madeira pintados de vermelho e decorados com frases islandesas. Eu não estava esperando por tanto conforto. O único porém era que reinava na casa um forte odor de peixe seco, carne amaciada e leite azedo que desagradou bastante meu olfato.

Assim que deixamos de lado nossos arreios de viagem, ouvimos a voz do anfitrião, que nos convidava a ir à cozinha, o único cômodo onde havia fogo, mesmo no mais rigoroso frio.

Meu tio se apressou em obedecer à ordem simpática. Fui atrás dele.

A lareira da cozinha era de um modelo antigo. No meio do cômodo, havia um buraco onde se acendia o fogo, e no meio do teto, um buraco por onde saía a fumaça. A cozinha também fazia as vezes de sala de jantar.

Quando entramos, nosso anfitrião nos cumprimentou como se ainda não tivéssemos nos visto, dizendo a palavra *saellvertu*, que significa "sejam felizes", e nos deu um beijo no rosto.

Na sequência, veio sua mulher, que pronunciou as mesmas palavras acompanhadas pelo mesmo ritual. Depois, colocando a mão direita no coração, o casal fez uma reverência profunda.

Devo dizer que a islandesa era mãe de dezenove filhos ao todo, grandes e pequenos, que se agitavam na maior confusão em meio à fumaça que a lareira lançava pelo cômodo. A todo instante eu notava uma cabecinha loura e um pouco melancólica saindo da névoa. Pareciam uma guirlanda de anjos maltrapilhos.

Eu e meu tio acolhemos muito bem aquela ninhada, e não demorou para termos três ou quatro pequerruchos em cima dos ombros, outros nos joelhos e o resto encostado em nossas pernas. Os que falavam repetiam *saellvertu* em todos os tons imagináveis. Os que não falavam só sabiam chorar.

Esse concerto foi interrompido pelo anúncio do jantar. No mesmo momento, voltou o caçador, que tinha ido dar de comer aos cavalos, ou seja, economicamente ele os soltou pelos campos. Os pobres animais teriam de se contentar pastando o raro musgo dos rochedos, alguns bodelhos pouco nutritivos e, no dia seguinte, voltariam por conta própria para retomar o trabalho da véspera.

– *Saellvertu* – disse Hans ao entrar.

Depois, com seu ar tranquilo e maquinal, beijou o anfitrião, a anfitriã e seus dezenove filhos sem acentuar nenhum beijo mais que o outro.

Terminado o ritual, sentamos, os vinte e quatro, à mesa, uns em cima dos outros, literalmente. Os mais privilegiados tinham apenas duas crianças no colo.

Quando a sopa chegou, porém, caiu o silêncio e voltou a reinar a taciturnidade natural, até para as crianças islandesas. O anfitrião nos serviu uma sopa de líquen nada saborosa, e, depois, uma enorme porção de peixe seco mergulhado em manteiga azedada havia vinte anos, e, por isso, preferível à manteiga fresca, segundo as ideias de gastronomia da Islândia. Havia também *Skyr*, uma espécie de leite coalhado acompanhado por biscoito e misturado com suco de bagas e gim. Finalmente, para beber havia leite com água, chamado *blanda* naquele país. Se essa refeição singular era boa ou ruim, não cabe a mim julgar. Estava com tanta fome que, na sobremesa, devorei até a última colherada do mingau cozido de trigo-sarraceno.

Terminado o jantar, as crianças sumiram. Os adultos se reuniram em volta do fogo alimentado por turfa, urze, estrume de vaca e ossos ressecados de peixe. Depois de "tomar o ar quente", cada grupo se recolheu aos respectivos aposentos. A dona da casa se ofereceu para tirar nossas calças e meias, mas não insistiu depois da nossa recusa gentil, e pude finalmente me aconchegar na cama de forragem.

No dia seguinte, às cinco horas, nos despedimos do camponês islandês. Meu tio teve bastante dificuldade para fazê-lo aceitar uma remuneração adequada, e Hans deu o sinal da partida.

Cem passos depois de Gardär, o terreno foi começando a mudar de aspecto. A terra ficou pantanosa e menos propícia à caminhada. À direita, a série de montanhas estendia-se indefinidamente como um imenso sistema de fortalezas naturais, e seguíamos por suas contraescarpas. Várias vezes nos deparamos com riachos que tivemos de cruzar com cuidado para não molhar demais as bagagens.

A região ficava cada vez mais deserta. Às vezes, porém, um espectro humano parecia se esquivar ao longe. Quando os desvios da rocha nos levaram de maneira inesperada até uma dessas sombras, senti certa aversão ao ver a cabeça inchada sem cabelo, a pele reluzente e as feridas repulsivas que apareciam sob os trapos miseráveis.

A infeliz criatura não veio estender a mão deformada. Em vez disso, fugiu, mas não rápido o bastante para não ser saudada pelo *saellvertu* habitual de Hans.

– *Spetelsk* – ele disse.
– Uma leprosa! – repetiu meu tio.

E bastou essa palavra para produzir um efeito de repulsa. Lepra, uma doença terrível, é bastante comum na Islândia. Não é contagiosa, mas hereditária, e o casamento é proibido a esses pobres coitados.

Essas aparições não alegravam nem um pouco a paisagem, que ia ficando mais e mais triste. Os últimos tufos de relva morriam aos nossos pés. Nenhuma árvore, a não ser alguns galhos de bétulas nanicas que mais pareciam urzes. Nenhum animal, além da meia dúzia de cavalos, cujo dono não tinha como alimentar e que erravam pelas planícies mornas. Vez por outra, um falcão planava pelas nuvens cinza e desaparecia velozmente rumo ao sul. Eu me deixei levar pela melancolia daquela natureza selvagem, e minhas lembranças queriam me levar de volta à minha terra natal.

Logo precisamos atravessar vários fiordes pequenos e, por fim, um verdadeiro golfo. Como a maré estava parada, pudemos atravessar sem ter de esperar para chegar ao vilarejo de Álftanes, um quilômetro e meio depois.

À noite, depois de termos atravessado a nado dois rios cheios de trutas e lúcios, o Alfa e o Heta, fomos obrigados a passar a noite em um casebre abandonado, provavelmente assombrado por todos os duendes da mitologia escandinava. Sem dúvida, o elemental do frio havia feito desse lugar sua morada, pois aprontou durante a noite toda.

O dia seguinte não teve nada de especial. Sempre os mesmos pântanos, a mesma uniformidade, o mesmo clima triste. À noite, tínhamos percorrido metade da distância total, e dormimos na *annexia* de Krösolbt.

No dia 19 de junho, durante um quilômetro e meio, um terreno de lava estendeu-se sob nossos pés. Essa disposição de solo é chamada *hraun* naquele país. A lava enrugada na superfície tinha a forma de cabos ora alongados, ora enrolados sobre si mesmos. Uma corrente imensa descia das montanhas ao redor, vulcões agora extintos, mas cujos vestígios eram a prova da agressividade do passado. Mesmo assim, as fumaças de algumas fontes quentes se alastravam aqui e ali.

Não tínhamos tempo para observar esses fenômenos. Precisávamos caminhar. O solo pantanoso logo ressurgiu sob as patas de nossas montarias, entrecortado por pequenos lagos. Agora, rumávamos para o oeste. Tínhamos dado a volta pela grande baía de Faxa, e os dois cumes brancos do Snæfellsjökull erguiam-se entre as nuvens a menos de oito quilômetros de distância.

Os cavalos caminhavam bem. Os percalços do solo não os detinham. Quanto a mim, já começava a ficar bastante cansado. Meu tio continuava firme e ereto como no primeiro dia. Achava isso admirável nele, assim como no caçador, que tratava a expedição feito um passeio como qualquer outro.

No sábado, 20 de junho, às seis horas da noite, chegamos a Búdir, um assentamento situado à beira-mar, e o guia pediu o pagamento combinado. Meu tio acertou as contas com ele. Foi a própria família de Hans, seus tios e primos-irmãos, que nos recebeu, muito bem, aliás. Sem querer abusar da boa vontade daquela brava gente, eu bem que queria me recuperar mais do cansaço da viagem na casa deles. Mas meu tio, que não tinha nada para descansar, não pensava o mesmo, e, no dia seguinte, tivemos de montar de novo nos animais.

O solo parecia não gostar de estar tão perto da montanha, cujas raízes de granito sobressaíam-se da terra como as de um carvalho antigo. Contornamos a imensa base do vulcão. O professor dele não tirava os olhos. Gesticulava como se o desafiasse e dissesse: "Esse é o gigante que vou conquistar!". Finalmente, depois de vinte e quatro horas de caminhada, os cavalos pararam por conta própria às portas do presbitério de Stapi.

CAPÍTULO 14

Stapi é uma vila composta por cerca de trinta choupanas construídas em plena lava, sob os raios de sol refletidos pelo vulcão, estendendo-se ao fundo de um pequeno fiorde escarpado dentro de uma estranhíssima muralha.

Todos sabem que o basalto é uma rocha marrom de origem ígnea. Suas formas regulares surpreendem pela disposição. Nela, a natureza age de maneira geométrica e trabalha da mesma forma que os humanos, como se utilizasse esquadros, compassos e prumos. Enquanto em todos os outros lugares a arte é feita com grandes massas dispostas ao acaso, cones maltraçados, pirâmides imperfeitas, uma sucessão estapafúrdia de linhas; aqui, querendo dar o exemplo da regularidade e precedendo os arquitetos das primeiras eras, foi criada uma ordem rígida que jamais os esplendores da Babilônia ou as maravilhas da Grécia conseguiram superar.

Já tinha ouvido falar bastante da Calçada dos Gigantes na Irlanda e da Gruta de Fingal em uma das Hébridas, mas o espetáculo de uma substrução basáltica nunca tinha se revelado aos meus olhos.

Em Stapi, esse fenômeno despontava em toda a sua grandeza.

A muralha do fiorde, como toda a costa da península, era composta por uma série de colunas verticais de quase dez metros de altura. Esses fustes retos, de proporções puras, apoiavam uma arquivolta feita de colunas horizontais, cujo desaprumo formava uma semiabóbada sobre o mar. A certos intervalos, sob esse implúvio natural, o olhar encontrava aberturas ogivais de um desenho admirável, por meio das quais as ondas do mar aberto se precipitavam espumosas. Alguns pedaços de basalto, desprendidos pela fúria do oceano, estendiam-se no solo como os escombros de um templo antigo; ruínas eternamente jovens pelas quais os séculos passavam sem desgastá-las.

Essa era a última etapa da nossa viagem por terra. Hans nos havia conduzido de maneira inteligente, e eu me sentia um pouco mais tranquilo com o fato de que ele continuaria nos acompanhando.

Ao chegar à porta da casa do pároco, uma cabana simples e baixa, nem mais bela nem mais confortável que as cabanas vizinhas, vi um homem pondo ferraduras num cavalo, com o martelo na mão e o avental de couro na cintura.

– Saellvertu – disse o caçador.

– *God dag* – respondeu o ferrador, num dinamarquês perfeito.

– *Kyrkoherde* – disse Hans, voltando-se para meu tio.

– O pároco! – repetiu o professor. – Axel, pelo que entendi, esse bom homem é o pároco.

Nesse meio-tempo, o guia colocou o *kyrkoherde* a par da situação. Parando seu trabalho, o pároco soltou um grito comum entre pessoas que trabalham com cavalos e gado e, na mesma hora, uma grande megera saiu da cabana. Se não media um metro e oitenta, não faltava muito para isso.

Fiquei com medo que ela viesse dar o beijo islandês aos viajantes. Mas isso não aconteceu, e, inclusive, não se importou em ser lá muito gentil enquanto nos apresentava à casa.

O quarto de hóspedes me pareceu o pior do presbitério: pequeno, sujo e fétido. Tínhamos de nos contentar. O pároco não parecia praticar a hospitalidade à moda antiga. Longe disso. Antes do fim do dia, vi que estávamos tratando mais com um ferreiro, um pescador, um caçador e um carpinteiro do que com um ministro de Deus. Tudo bem que estávamos no meio da semana. Talvez ele compensasse aos domingos.

Longe de mim falar mal desses pobres sacerdotes, que, afinal, são bem pobres. O governo dinamarquês lhes dá um péssimo tratamento, pois recebem um quarto do dízimo de suas paróquias, o que não dá nem um total de sessenta marcos.* Por isso, era necessário trabalhar para sobreviver. Mas, de tanto pescar, caçar e ferrar cavalos, acaba-se pegando os modos, o tom e os costumes dos caçadores, pescadores e outros profissionais igualmente brutos. Na mesma noite, descobri que a sobriedade não era uma das virtudes do nosso anfitrião.

Meu tio logo entendeu com que tipo de homem estava lidando. Em vez de um estudioso audaz e digno, encontrou um camponês bruto e grosseiro. Decidiu, então, começar o mais rapidamente possível sua grande expedição e abandonar aquela casa paroquial nada hospitaleira. Não se

---
*   Moeda de Hamburgo.

importou nem um pouco com seu cansaço, e decidiu passar alguns dias na montanha.

Portanto, fizemos os preparativos para a partida no dia seguinte à nossa chegada a Stapi. Hans contratou três islandeses para substituir os cavalos no transporte das bagagens. Mas, quando chegássemos ao fundo da cratera, esses nativos deveriam dar meia-volta e nos abandonar à nossa própria sorte. Esse ponto ficou bem claro.

Então, meu tio foi obrigado a contar ao caçador que seu objetivo era continuar com o reconhecimento do vulcão até seus limites finais.

Hans respondeu apenas com uma inclinação da cabeça. Não fazia diferença para ele se fôssemos para lá ou para cá, se penetrássemos nas entranhas da ilha ou a percorrêssemos por terra. Já eu, distraído até então pelos acontecimentos da viagem, tinha deixado de pensar nesse futuro. Mas sentia agora o pavor retornar com força total. O que fazer? Se fosse possível resistir ao professor Lidenbrock, teria sido em Hamburgo, não ao pé do Sneffels.

Entre tantos pensamentos, um era o que mais me atormentava; uma ideia aterradora, capaz de abalar nervos menos sensíveis que os meus.

"Certo", pensava eu, "vamos escalar o Sneffels. Bom. Vamos visitar sua cratera. Certo. Outras pessoas fizeram isso e não morreram. Mas isso não é tudo. Se encontrarmos um caminho que desça até as entranhas da Terra, se é que aquele maldito Saknussemm falou a verdade, vamos nos perder entre as galerias subterrâneas do vulcão. Quem garante que o Sneffels está extinto? Quem prova que não há uma erupção sendo preparada? Não é porque o monstro está adormecido desde 1229 que não pode mais acordar... E, se acordar, o que será de nós?"

Era algo a se refletir, e foi isso que fiz. Não conseguia dormir sem sonhar com erupções. E me parecia bem brutal virar escória vulcânica.

Finalmente, não consegui mais me conter. Decidi desabafar sobre a questão com meu tio, da maneira mais engenhosa possível e na forma de uma hipótese completamente absurda.

Fui atrás dele. Contei dos meus medos e me encolhi para deixar que estourasse à vontade.

– Andei pensando nisso – ele respondeu, muito simplesmente.

O que significavam essas palavras? Será que ele ouviria a voz da razão finalmente? Estava considerando abandonar seus planos? Era bom demais para ser verdade.

Depois de alguns instantes de silêncio, durante os quais não tive coragem de interrogá-lo, ele retomou, dizendo:

– Andei pensando nisso. Desde que chegamos a Stapi, fiquei preocupado com essa dúvida grave que você acabou de comentar, porque não podemos agir com imprudência.

– Não – concordei com firmeza.

– Faz seiscentos anos que o Sneffels está em silêncio, mas ele ainda pode se manifestar. As erupções são sempre precedidas por fenômenos muito conhecidos. Por isso, andei fazendo perguntas aos moradores da região, estudei o solo, e posso dizer para você, Axel, que não vai haver erupção.

Fiquei estupefato com essa afirmação, e não tive o que responder.

– Duvida do que estou dizendo? – perguntou meu tio. – Então, venha comigo.

Obedeci maquinalmente. Ao sair do presbitério, o professor pegou um caminho direto que, por uma abertura da muralha basáltica, estendia-se a partir do mar. Logo estávamos em campo aberto, se é que podemos assim chamar um imenso empilhamento de materiais expelidos pelo vulcão. A terra parecia esmagada por uma chuva de pedras enormes, *trapp*, basalto, granito e todo tipo de piroxenitos.

Aqui e ali dava para ver fumarolas subindo pelo ar. Aqueles vapores brancos, chamados *reykir* em islandês, vinham de fontes termais e indicavam, por seu grau de violência, a atividade vulcânica do solo. Pareciam uma ótima justificativa para meus medos. Mas caí do cavalo quando meu tio me disse:

– Está vendo todos esses vapores, Axel? Eles provam que não precisamos temer a fúria do vulcão!

– Como é que é? – indaguei.

– Lembre-se bem disto – continuou o professor. – Quando uma erupção está próxima, essas fumerolas duplicam de atividade até desaparecer completamente durante o fenômeno em si, pois, como perdem a tensão necessária, os fluidos elásticos se direcionam para as crateras, em vez de escapar pelas fissuras da Terra. Como esses vapores se mantêm em seu estado habitual e sua energia não aumentou, e o vento e a chuva não foram substituídos por um ar calmo e pesado, dá para afirmar que não haverá erupção nenhuma em breve.

– Mas...

– Chega. Quando a ciência fala, é preciso calar a boca.

Voltei para a casa do pároco de cabeça baixa. Meu tio havia me vencido com argumentos científicos. Mesmo assim, alimentava a esperança de que, quando chegássemos ao fundo da cratera, seria impossível descer mais profundamente por falta de galerias, apesar de todos os Saknussemm do mundo.

Passei a noite seguinte tendo pesadelos dentro de um vulcão e das profundezas da Terra; sentia que era lançado ao espaço sideral na forma de uma rocha eruptiva.

No dia seguinte, 23 de junho, Hans nos esperava com seus companheiros que carregavam os víveres, utensílios e instrumentos. Dois bastões de ferro, dois fuzis e duas cartucheiras estavam reservados para mim e meu tio. Como Hans era um homem precavido, tinha acrescentado a nossas bagagens um odre cheio que, junto com nossos cantis, nos garantiria água por oito dias.

Eram nove horas. O pároco e sua enorme megera esperavam em frente à porta. Imaginei que pretendiam nos dar a despedida derradeira do anfitrião ao viajante. Mas essa despedida veio na forma inesperada de uma conta pavorosa na qual era cobrado até o ar fedido da casa pastoral. O belo casal nos extorquia como estalajadeiros suíços e cobrava caríssimo por sua hospitalidade.

Meu tio pagou sem reclamar. Um homem que partia para o centro da Terra não se importava com alguns *rijksdaalders*.

Resolvida a questão, Hans fez sinal para a partida e, alguns instantes depois, saímos de Stapi.

CAPÍTULO 15

O Sneffels tem um quilômetro e meio de altura. Com seu cone duplo, termina numa faixa traquítica que se destaca do sistema montanhoso da ilha. Do nosso ponto de partida, não dava para ver seus dois picos se perfilarem sobre o fundo acinzentado do céu. Eu via apenas uma enorme calota de gelo achatada sobre a testa do gigante.

Caminhávamos em fila, seguindo o caçador. Ele subia por trilhas estreitas em que duas pessoas não conseguiriam caminhar lado a lado. Era praticamente impossível conversar.

Do outro lado da muralha basáltica do fiorde de Stapi, logo encontramos um solo de turfa herbácea e fibrosa, resíduo da antiga vegetação dos pântanos da península. A massa desse combustível ainda inexplorado bastaria para aquecer toda a população da ilha por um século. Em média, se medido do fundo de alguns barrancos, esse enorme jazigo de turfa tinha quase vinte metros de altura e apresentava camadas sucessivas de detritos carbonizados, separados por folhas de tufo poroso.

Como verdadeiro sobrinho do professor Lidenbrock, e apesar dos meus medos, eu observava com interesse as curiosidades mineralógicas expostas naquele enorme museu de história natural. Enquanto isso, reconstruía mentalmente toda a história geológica da Islândia.

É evidente que aquela ilha tão curiosa tinha saído do fundo do mar numa época relativamente recente. Talvez continue a crescer num movimento impossível de sentir. Neste caso, só se pode atribuir sua origem à ação de chamas subterrâneas. Sendo assim, portanto, a teoria de Humphry Davy, o documento de Saknussemm, os planos do meu tio, tudo viraria fumaça. Essa hipótese me fazia examinar com atenção a natureza do solo, e logo entendi os fenômenos que levaram à formação da ilha.

Sem absolutamente nenhum terreno sedimentar, a Islândia é composta apenas de tufo vulcânico, ou seja, um aglomerado de pedras e rochas de uma textura porosa. Antes do surgimento dos vulcões, era composta por um maciço grosso que foi subindo lentamente sob as ondas pelo impulso das forças centrais. As chamas internas, nessa época, ainda não tinham irrompido.

Depois, uma grande fenda foi se formando diagonalmente do sudoeste ao noroeste da ilha, pela qual a massa traquítica foi se espalhando pouco a pouco. O fenômeno se concretizou sem violência. A abertura era enorme, e os materiais fundidos, expulsados das entranhas da Terra, estendiam-se tranquilamente em lençóis imensos ou massas onduladas. Nessa época, surgiram os feldspatos, sienitos e pórfiros.

Graças a esse derramamento, a espessura da ilha cresceu de maneira considerável, e com ela cresceu também sua força de resistência. Imagino que essa quantidade de fluidos elásticos tenha se armazenado dentro de seu seio, visto que a ilha não ofereceu mais nenhuma abertura após o resfriamento da fenda traquítica. Chegou então o momento em que a potência mecânica desses gases foi tamanha, que ergueu uma crosta pesada e abriu altas chaminés. Assim surgiu o vulcão, formado pela elevação da crosta e, na sequência, a cratera aberta subitamente no seu topo.

Depois dos fenômenos eruptivos, vieram os vulcânicos. Pelas aberturas recém-formadas saíram, primeiro, as dejeções basálticas – suas espécimes mais maravilhosas mostravam-se para nós na planície que atravessávamos. Estávamos andando sobre essas rochas pesadas cinza-escuras que o resfriamento havia moldado em prismas de base hexagonal. Ao longe, dava para ver um grande número de cones achatados, que antigamente eram bocas ignívomas.

Depois que a erupção basáltica se esgotou, o vulcão, cuja força se somou à das crateras extintas, deu passagem às lavas e aos tufos de cinzas e escórias, cujas longas correntes espalhadas eram vistas nos flancos do vulcão como uma opulenta cabeleira.

Essa foi a sucessão de fenômenos que criou a Islândia, todos gerados pela ação de chamas internas; portanto, era loucura supor que a massa interna não continuasse em um estado de liquidez incandescente. Mais loucura ainda era pensar em chegar ao centro do globo!

Assim, eu tentava me tranquilizar quanto ao desfecho de nossa empreitada, sempre andando para atacar o Sneffels.

O caminho foi se tornando cada vez mais difícil. O solo foi se erguendo, os fragmentos de rochas vibravam, e era preciso todo cuidado para evitar quedas perigosas.

Hans avançava tranquilamente, como se estivesse em um terreno uniforme. Às vezes, desaparecia atrás de grandes blocos e nos perdíamos de vista por um momento. Então, ele dava um assobio agudo que nos indicava a direção a seguir. Várias vezes também parou, juntou algumas pedras e as dispôs de uma maneira reconhecível para formar pontos de referência, a fim de indicar o caminho de volta. Era uma boa medida de precaução, mas os acontecimentos futuros a tornariam inútil.

Três horas de caminhada exaustiva nos levaram apenas à base da montanha. Hans fez sinal para pararmos e dividirmos um almoço simples. Meu tio comia pedaços duplos para ir mais rápido. No entanto, como essa pausa para refeição era também para descanso, teve de esperar a boa vontade do guia, que fez sinal para a partida somente uma hora depois. Os três islandeses, tão calados quanto seu companheiro caçador, não pronunciaram uma só palavra, e, sérios, comeram.

Começamos então a escalar as encostas do Sneffels. Por uma ilusão de ótica, comum nas montanhas, seu pico nevado parecia-me bem próximo, mas ainda levaríamos longas horas para chegar lá. Que cansaço! As pedras, sem que nada na terra ou na relva as prendesse, escorregavam sob nossos pés e iam se perder na planície com a rapidez de uma avalanche.

Em alguns trechos, os flancos do monte formavam um ângulo de pelo menos uns trinta e seis graus como horizonte. Era impossível escalar esses aclives, que precisavam ser contornados com muita dificuldade. Puxávamos uns aos outros com o auxílio dos nossos bastões.

Devo dizer que meu tio se mantinha o mais perto possível de mim. Não me perdia de vista, e, várias vezes, seus braços me deram um forte apoio. Já ele, devia ter um sentido inato de equilíbrio, pois nunca oscilava. Os islandeses, mesmo carregados de coisas, escalavam com agilidade de montanheses.

Vendo a altura do cimo do Sneffels, parecia-me impossível alcançá-lo desta costa se o ângulo de inclinação das encostas não diminuísse. Felizmente, depois de uma hora de exaustão e muitas manobras, surgiu, inesperadamente, no meio do imenso tapete de neve acumulada no cume do vulcão, uma espécie de escada que simplificou nossa subida. Era formada por uma dessas torrentes de pedras expulsas pelas erupções, cujo nome em islandês era *stinâ*. Se a queda dessa torrente não tivesse sido detida pela disposição dos flancos da montanha, ter-se-ia lançado ao mar e formado outras ilhas.

Mas foi detida e muito nos ajudou. O aclive das encostas ia crescendo, mas os degraus de pedra permitiam subir com tanta tranquilidade e rapidez que, tendo ficado para trás, enquanto meus companheiros continuavam a escalada, logo os vi pequeninos, pela distância, com uma aparência microscópica.

Às dezenove horas, havíamos subido os dois mil degraus da escada, e estávamos no alto de uma saliência da montanha, uma espécie de base onde se apoiava o cone propriamente dito da cratera.

O mar estendia-se a uma profundidade de quase um quilômetro. Havíamos ultrapassado o limite de neves perpétuas, bem pouco elevadas na Islândia graças à umidade constante do clima. O frio era intenso. O vento soprava forte. Eu estava exausto. O professor viu que minhas pernas se recusavam a trabalhar e, apesar de sua impaciência, achou melhor pararmos. Fez sinal para o caçador, que balançou a cabeça, dizendo:

– *Ofvanför*.

– Parece que precisamos subir mais – disse meu tio.

Depois, perguntou a Hans o motivo da resposta.

– *Mistour* – respondeu o guia.

– *Ja, mistour* – repetiu um dos islandeses, com certo medo na voz.

– O que significa essa palavra? – perguntei, apreensivo.

– Veja – disse meu tio.

Olhei para a planície. Uma imensa coluna de pedra-pomes pulverizada, areia e terra erguia-se rodopiante feito uma tromba. O vento fazia que se chocasse contra o flanco do Sneffels onde estávamos parados. Aquela cortina opaca que se estendia diante do sol gerava uma grande sombra sobre a montanha. Se aquela tromba se inclinasse, sem dúvida nos envolveria em seus turbilhões. Esse fenômeno, muito frequente quando o vento bate nas geleiras, é chamado *mistour* em islandês.

– *Hastig, hastig* – exclamou o guia.

Mesmo sem conhecer dinamarquês, entendi que Hans nos mandava segui-lo o mais rápido possível. Ele começou a dar a volta no cone da cratera, mas de viés, para facilitar a caminhada. Não demorou para a tromba atingir a montanha, que estremeceu com o impacto. As pedras apanhadas nos redemoinhos de vento caíam do alto como em uma erupção. Felizmente, estávamos na encosta oposta, protegidos de todo o perigo. Sem o cuidado do guia, nossos corpos teriam sido despedaçados, reduzidos a pó e lançados longe como restos de um meteoro desconhecido.

No entanto, Hans não achou seguro passar a noite nos flancos do cone. Continuamos a subida em zigue-zague. Os quinhentos metros ainda a percorrer demoraram quase cinco horas. Os desvios, voltas e degraus mediam pelo menos uns quinze quilômetros. Eu não aguentava mais. Estava morrendo de fome e de frio. O ar, meio rarefeito, não era o suficiente para os meus pulmões.

Finalmente, às vinte e três horas, na escuridão total, alcançamos o pico do Sneffels, e, antes de me abrigar dentro da cratera, tive tempo para ver o "sol da meia-noite" em seu ponto mais baixo da cratera, projetando raios pálidos sobre a ilha adormecida aos meus pés.

CAPÍTULO 16

O jantar foi devorado rapidamente, e o pequeno grupo instalou-se como pôde. O leito era duro, o abrigo pouco firme, e a situação bem precária a um quilômetro e meio acima do nível do mar. No entanto, meu sono foi estranhamente tranquilo naquela noite, uma das melhores noites que tive em muito tempo. Nem cheguei a sonhar.

No dia seguinte, acordamos quase congelados, por conta de um vento forte, sob os raios de um lindo sol. Levantei-me da minha cama de granito e fui admirar o magnífico espetáculo que surgiu diante dos meus olhos.

Eu estava no alto de um dos dois picos do Sneffels, o do sul. Dali, minha vista estendia-se sobre a maior parte da ilha. A ótica comum a todas as grandes altitudes erguia as praias, enquanto parecia afundar as partes centrais. Parecia que eu tinha um daqueles mapas em relevo de Helbesmer sob meus pés. Via os vales profundos se cruzando em todas as direções, os precipícios se afundarem como poços, os lagos transformados em poças, os rios em riachos. À minha direita, estendiam-se incontáveis geleiras e inúmeros picos, alguns dos quais soltavam finas fumaças. As ondulações dessas montanhas infinitas, que pareciam espumar pela camada de nuvens, lembravam-me a superfície de um mar agitado. Quando eu me voltava para o oeste, via o oceano se desenrolar em sua extensão majestosa como uma continuação desses cumes montanhosos. Era difícil distinguir onde acabava a terra e começavam as ondas.

Mergulhei assim nesse êxtase maravilhoso dos cumes altos e, dessa vez, sem vertigem, pois tinha finalmente me acostumado com essas combinações sublimes. Com o olhar fascinado banhando-se na irradiação transparente dos raios de sol, esqueci quem era e onde estava para viver a vida dos elfos e silvos, os habitantes imaginários da mitologia escandinava. Estava inebriado pela volúpia das alturas, sem pensar nos abismos em que estava destinado a mergulhar em pouco tempo. Fui trazido de volta à realidade pela chegada do professor e de Hans, que vieram me fazer companhia no cume da montanha.

Meu tio, virando-se para o oeste, apontou-me com a mão um vapor leve, uma bruma que lembrava um corpo de terra e dominava a linha das ondas.

– A Groenlândia – ele explicou.

– Groenlândia? – exclamei.

– Sim, estamos a apenas cento e setenta quilômetros da Groenlândia, e, durante os degelos, os ursos-polares vêm até a Islândia trazidos pelos blocos de gelo do norte. Mas isso não importa. O que importa é que estamos no topo do Sneffels. Veja os dois picos, um ao sul e outro ao norte. Hans vai nos dizer como os islandeses chamam este em que estamos agora.

Feita a pergunta, o caçador respondeu:

– Scartaris.

Meu tio me lançou um olhar triunfante:

– Vamos à cratera! – exclamou.

A cratera do Sneffels tinha a forma de um cone invertido cujo orifício deveria ter uns dois quilômetros e meio de diâmetro. Pelas minhas estimativas, sua profundidade devia ser de uns três mil quilômetros mais ou menos. Dava para imaginar o estado de um reservatório como aquele quando estivesse cheio de raios e chamas. O fundo da cratera não devia medir mais de cento e cinquenta metros de diâmetro, de modo que suas encostas bastante suaves permitiam chegar facilmente à sua parte inferior. Sem querer, comparei a cratera com um enorme bacamarte aberto, e essa comparação me apavorou.

"Descer dentro de um bacamarte", pensei, "que pode estar carregado e é capaz de disparar a qualquer momento é coisa de gente louca."

Mas não havia como voltar atrás. Hans, com seu ar de indiferença, voltou à frente do grupo. Eu o segui sem dizer uma palavra.

Para facilitar a descida, Hans fez elipses bem alongadas pelo interior do cone. Era preciso andar no meio de rochas eruptivas, algumas das quais, com seus alvéolos sacudidos, caíam, quicando, até o fundo do abismo. Sua queda reverberava ecos de uma sonoridade apavorante.

Algumas partes do cone formavam geleiras interiores. Hans avançava com extremo cuidado, testando o solo com seu bastão de ferro para descobrir as fendas. Em certas passagens duvidosas, passou a ser necessário nos amarrar uns aos outros com cordas longas para que, caso alguém tropeçasse de repente, fosse segurado pelos companheiros. Essa solidariedade era prudente, mas não excluía todos os perigos.

Mesmo assim, apesar de todas as dificuldades da descida pela encosta que o guia não conhecia, não houve nenhum acidente, tirando a queda de um fardo de cordas, que escapou da mão de um dos islandeses e seguiu o caminho mais curto até o fundo do abismo.

Chegamos ao meio-dia. Ergui a cabeça e vi o orifício superior do cone, que emoldurava um pedaço do céu de uma circunferência estranhamente reduzida, mas quase perfeita. O pico do Scartaris, mergulhado na imensidão, destacava-se em um único ponto.

No fundo da cratera, abriam-se três chaminés pelas quais, na época das erupções do Sneffels, a chama central soltava suas lavas e vapores. Cada uma dessas chaminés tinha cerca de trinta metros de diâmetro, abertas sob nossos pés. Não tive coragem de abaixar os olhos. O professor Lidenbrock, por sua vez, fez uma análise rápida daquela disposição. Estava ofegante. Corria de uma à outra, gesticulando e soltando palavras incompreensíveis. Hans e seus companheiros, sentados em pedaços de lava, ficaram olhando. Era evidente que o tomavam por louco.

Meu tio soltou um grito repentino. Achei que tinha tropeçado e caído num dos três abismos. Mas não. Eu o vi de braços estendidos e pernas abertas diante de uma rocha de granito, colocada no centro da cratera, feito um pedestal construído para uma estátua do deus Plutão. Estava com a pose de um homem estupefato, mas sua estupefação logo deu lugar a uma alegria insana.

– Axel! Axel! – ele gritou. – Venha! Venha!

Fui correndo. Hans e os outros islandeses nem se mexeram.

– Olhe só – o professor me disse.

E, com a mesma estupefação que ele, e até um pouco da sua alegria, li, na lateral oeste do bloco, em caracteres rúnicos um pouco apagados pelo tempo, aquele nome maldito:

ᛅᚱᚿᛂ ᛌᛅᚴᚿᚢᛌᛌᛂᛘ

– Arne Saknussemm! – exclamou meu tio. – Você ainda duvida?

Não respondi, e voltei, consternado, para meu banco de lava. A evidência me deixou arrasado.

Não sei quanto tempo continuei mergulhado nas minhas reflexões. Sei apenas que, quando ergui a cabeça, vi somente meu tio e Hans, sozinhos, no fundo da cratera. Os outros islandeses tinham sido dispensados, e, agora, voltavam a descer as encostas exteriores do Sneffels para regressar a Stapi.

Hans dormiu tranquilamente ao pé de uma rocha, numa corrente de lava, que fez de cama improvisada. Meu tio ficou dando voltas no fundo da cratera, como um animal selvagem preso numa armadilha. Eu não tinha nem vontade nem forças para me levantar, e, seguindo o exemplo do guia, deixei-me levar por uma letargia dolorida, pensando ouvir os barulhos e sentir os tremores dos flancos da montanha.

Assim foi a primeira noite no fundo da cratera.

No dia seguinte, um céu cinza de nuvens pesadas cobriu o topo do cone. Percebi isso mais pela fúria do meu tio do que pela escuridão do abismo.

Entendi o motivo da sua raiva e voltei a alimentar um fio de esperança. Vou explicar por quê.

Dos três caminhos abertos a nossos pés, apenas um foi seguido por Saknussemm. Segundo o estudioso islandês, nós o reconheceríamos por uma particularidade comentada no criptograma: a sombra do Scartaris acariciava suas bordas nos últimos dias de junho.

Dava até para pensar naquele pico agudo como o ponteiro menor do relógio solar, cuja sombra marca o caminho para o centro da Terra em determinados dias.

No entanto, se faltasse sol, faltaria sombra. E, em consequência, faltaria a indicação. Estávamos em 25 de junho. Se o céu continuasse coberto por mais seis dias, seria preciso deixar a observação para outro ano.

Prefiro não descrever a fúria do professor Lidenbrock. O dia passou, e nenhuma sombra se estendeu ao fundo da cratera. Hans não saiu do lugar. Provavelmente se perguntava o que estávamos esperando, se é que se perguntava alguma coisa. Meu tio não me dirigiu uma só palavra. Seu olhar, sempre voltado para o céu, perdia-se na tinta cinza e enevoada.

Nada mudou no dia 26, exceto por uma chuva misturada com neve que caiu durante o dia todo. Hans construiu uma cabana com pedaços de lava. Tive certo prazer em observar as milhares de cascatas imprevistas escorrendo pelos flancos do cone, cujo murmúrio ensurdecedor era ecoado pelas pedras.

Meu tio não conseguia se conter. Aquilo irritaria até o mais paciente dos homens, porque era como nadar e nadar e morrer na praia.

Mas o céu gosta de mesclar grandes dores com enormes alegrias, e reservava ao professor Lidenbrock uma satisfação equivalente ao seu tédio desesperado.

No dia seguinte, o céu continuou coberto, mas, no domingo, 28 de junho, o antepenúltimo dia do mês, com a mudança da lua, veio também a mudança de tempo. O sol lançou seus raios dentro da cratera. Todos os montículos, todas as rochas e pedras, todas as asperezas do solo participaram do eflúvio luminoso e projetaram sua sombra instantaneamente sob o sol. Entre elas, a do Scartaris se desenhou na forma de uma aresta viva e começou a girar discretamente junto com o astro radiante.

Meu tio foi girando com ela.

Ao meio-dia, em seu período mais curto, ela roçou suavemente a borda da chaminé central.

– É aquela! – exclamou o professor. – É aquela! Vamos ao centro da Terra! – acrescentou em dinamarquês.

Olhei para Hans.

– *Forüt!* – o guia disse, tranquilo.

– Em frente! – respondeu meu tio.

Eram treze horas e treze minutos.

CAPÍTULO 17

Assim começava a verdadeira viagem. Até então, havíamos vencido as dificuldades com cansaço, mas era agora que elas começavam de fato.

Eu ainda não tinha olhado para dentro daquele poço insondável no qual iria me embrenhar. Havia chegado a hora. Ainda dava para escolher entre participar da empreitada ou me recusar a me arriscar. Mas tinha vergonha de recuar na frente do caçador. Hans tinha aceitado a aventura com tanta tranquilidade e indiferença, tanto destemor do perigo, que eu corava só em pensar em ser menos corajoso que ele. Se estivesse sozinho, teria começado uma série de argumentos grandiosos. Mas, na presença do guia, achei melhor ficar quieto. Voltei as lembranças para minha querida virlandesa e me aproximei da chaminé central.

Como eu disse, ela media uns trinta metros de diâmetro. Inclinei-me sobre uma pedra sobressalente e olhei. Fiquei arrepiado. A sensação de vazio tomou conta de mim. Senti meu centro de gravidade se deslocar no meu corpo e a vertigem subir à cabeça feito uma embriaguez. Não há nada mais inebriante do que a atração do abismo. Estava prestes a cair. Uma mão me segurou. Era Hans. Definitivamente, eu não havia tido aulas suficientes sobre abismo na Frelsers-Kirk de Copenhague.

Mesmo tendo me atrevido tão pouco a olhar para o poço, deu para entender sua conformação. Suas paredes quase verticais apresentavam várias saliências que facilitariam a descida. Mas, por mais que não faltasse escada de mão, faltava uma rampa. Uma corda fixada a um orifício bastaria para nos sustentar, mas como desamarrá-la quando chegássemos à extremidade inferior?

Meu tio usou um jeito bastante simples para vencer essa dificuldade. Ele desenrolou uma corda da grossura do polegar, com cento e vinte metros de comprimento. Primeiro, deixou metade cair, depois a enrolou em volta de um bloco de lava saliente e jogou a outra metade dentro da chaminé. Cada um de nós podia agora descer segurando na mão as duas metades da corda, que não teriam como se separar. Depois de descer uns sessenta metros, seria simples recolhê-la, soltando uma ponta e puxando a outra. Depois, continuaríamos o exercício *ad infinitum*.

– Agora – disse meu tio, depois de ter finalizado os preparativos –, vamos cuidar das bagagens. Vamos dividi-las em três pacotes, e cada um vai levar um nas costas. Estou falando só dos objetos frágeis, claro.

Era evidente que o audacioso professor não nos incluía nessa categoria.

– Hans – ele continuou – vai ficar encarregado das ferramentas e de uma parte dos víveres. Você, Axel, vai ficar com outro terço dos víveres e as armas. Eu levo o restante dos víveres e os instrumentos delicados.

– Mas e as roupas e esse monte de escadas e cordas? – perguntei. – Quem vai levar tudo isso?

– Vão descer sozinhos.

– Como assim? – perguntei, espantado.

– Você já vai ver.

Meu tio divertia-se usando meios arriscados sem hesitar. Seguindo sua ordem, Hans juntou todos os objetos que não eram frágeis num único pacote que, bem amarrado, foi simplesmente lançado dentro do precipício.

Ouvi aquele bramido sonoro produzido pelo deslocamento das camadas de ar. Meu tio, debruçado sobre o abismo, acompanhava, satisfeito, a descida das bagagens, e só se levantou depois que as perdeu de vista.

– Bom – ele disse –, agora é a nossa vez.

Pergunto a qualquer pessoa de boa-fé se é possível ouvir essas palavras sem estremecer.

O professor amarrou às costas o pacote de instrumentos. Hans pegou o seu, de ferramentas, e eu, o das armas. A decida começou na seguinte ordem: Hans, meu tio e eu. Foi feita em um profundo silêncio, perturbado apenas pela queda de fragmentos de rocha que caíam no abismo.

Desci praticamente escorregando, com uma mão segurando febrilmente a corda dupla e a outra agarrada ao bastão de ferro. Apenas um pensamento me dominava: o medo de perder o ponto de apoio. Aquela corda me parecia frágil demais para sustentar os pés de três pessoas. Evitava ao máximo apoiar-me nela, operando milagres de equilíbrio nas saliências de lava em que meu pé tentava se prender como se fosse uma mão.

Quando um desses degraus escorregadios tremia sob os pés de Hans, ele dizia com a voz tranquila:

– *Gifakt!*

– Cuidado! – traduzia meu tio.

Depois de cerca de meia hora, tínhamos chegado à superfície de uma rocha encaixada com firmeza na parede da chaminé.

Hans puxou uma das pontas da corda, e a outra se ergueu no ar. Depois de passar pela rocha lá em cima, ela desceu raspando pedaços de terra e lava, que caíram feito uma chuva de granizo forte e perigosa.

Debruçado na beirada da nossa plataforma estreita, notei que ainda não dava para ver o fundo da cratera.

A manobra da corda começou de novo e, meia hora depois, tínhamos descido mais sessenta metros.

Não sei se, durante a descida, um geólogo mais fanático teria tentado estudar a natureza dos terrenos que o cercavam. Eu não dei a mínima para isso. Pouco me importava se eram pliocenos, miocenos, eocenos, cretáceos, jurássicos, triássicos, permianos, carboníferos, devonianos, silurianos ou primitivos. Mas o professor deve ter observado ou pegado suas anotações porque, numa dessas paradas, disse:

– Quanto mais desço, mais confiante fico. A disposição desses terrenos vulcânicos dá toda razão para a teoria de Davy. Estamos em pleno solo primordial, solo em que se produziu a operação química dos metais inflamados ao contato com o ar e a água. Rejeito completamente a teoria do sistema de calor central. Enfim, logo vamos constatar isso com nossos próprios olhos.

Sempre a mesma conclusão. Era por isso que não tinha o menor ânimo de discutir. Meu silêncio foi tomado como concordância e voltamos a descer.

Depois de três horas, ainda não dava para ver o fundo da chaminé. Quando eu erguia a cabeça, avistava o orifício diminuindo consideravelmente. Como as paredes eram inclinadas, iam se fechando, e a escuridão aumentava pouco a pouco.

Continuamos descendo o tempo todo. Parecia que as pedras que se soltavam das paredes mergulhavam com um eco mais abafado e chegavam rapidamente ao fim do abismo.

Como tive a preocupação de contabilizar exatamente nossas manobras com a corda, pude fazer a conta exata da profundidade atingida e do tempo transcorrido.

Tínhamos repetido catorze vezes aquela manobra que durava meia hora cada. Isso dava sete horas, mais catorze intervalos de quinze minutos cada, o que dava três horas e meia. No total, dez horas e meia. Tínhamos partido às treze horas, então deviam ser vinte e três horas naquele momento.

Quanto à profundidade à que tínhamos chegado, essas catorze manobras com a corda de sessenta metros resultavam em oitocentos e quarenta metros.

Nesse momento, Hans disse:

– *Halt*!

Parei bem a tempo de não dar com os pés na cabeça do meu tio.

– Chegamos – ele disse.

– Aonde? – perguntei, escorregando para perto dele.

– Ao fundo da chaminé perpendicular.

– Não tem outra saída então?

– Tem, sim. Estou vendo uma espécie de corredor que vira para a direita. Amanhã vamos dar uma olhada. Agora, acho melhor jantar e dormir.

A escuridão ainda não era total. Abrimos o saco de suprimentos, comemos e fizemos o possível para nos acomodar na cama de pedras e resquícios de lava.

Quando, deitado de costas, abri os olhos, vi um ponto brilhante na extremidade daquele longo tubo de quase um quilômetro que agia como uma luneta gigantesca.

Era uma estrela sem brilho nenhum que, pelos meus cálculos, devia ser a Sigma da Ursa Menor.

Depois disso, caí num sono profundo.

CAPÍTULO 18

À s oito horas, um raio de sol veio nos acordar. As mil facetas de lava das paredes o apanhavam em sua passagem e o espalhavam como uma chuva de centelhas.

Essa claridade era forte o bastante para nos permitir distinguir o que havia ao nosso redor.

– Então, Axel, o que me diz de tudo isso? – perguntou meu tio, esfregando as mãos. – Duvido que tenha passado uma noite mais tranquila em nossa casa na Königstrasse. Nenhum barulho de charrete, nenhum grito de mercador, nenhum berro de barqueiro.

– Pode até ser que esteja tudo bem tranquilo no fundo deste poço, mas é essa calma que me dá medo.

– Ora essa! – exclamou meu tio. – Guarde seu medo para depois. Mal entramos nas profundezas da Terra ainda.

– O que o senhor quer dizer?

– Quero dizer que só alcançamos a altura do solo da ilha! Este longo tubo vertical que dá na cratera do Sneffels para mais ou menos no nível do mar.

– Tem certeza?

– Absoluta. Pode consultar o barômetro para confirmar!

De fato, depois de ter subido pouco a pouco durante nossa descida, o mercúrio dentro do instrumento tinha parado em setecentos e trinta e sete milímetros.

– Como pode ver – continuou o professor –, ainda estamos na pressão atmosférica, mas não vejo a hora de trocarmos o barômetro pelo manômetro.

Realmente esse instrumento passaria a ser inútil a partir do momento em que o peso do ar ultrapassasse sua pressão calculada no nível do mar.

– Mas – perguntei – não deveríamos temer que essa pressão sempre crescente seja insuportável?

– Não. Vamos descer devagar, e nossos pulmões vão se acostumar a respirar uma atmosfera mais comprimida. Os aeronautas acabam ficando sem ar ao subir às camadas mais altas. É provável que nós, por outro lado, tenhamos ar de sobra. Mas prefiro assim. Agora chega de perder tempo. Onde está o pacote que joguei pelo interior da montanha antes de nós?

Nesse momento, lembrei-me de que o tínhamos procurado em vão na noite anterior. Meu tio perguntou a Hans, que, depois de olhar atentamente com seus olhos de caçador, respondeu:

– *Der hupper!*

– Lá em cima.

De fato, o pacote tinha ficado pendurado numa saliência rochosa uns trinta metros acima de nós. Imediatamente, o ágil islandês subiu até lá igual um gato e, em poucos minutos, o pacote estava conosco.

– Agora – disse meu tio –, vamos tomar nosso café da manhã. Mas será um desjejum digno de pessoas que têm uma longa jornada à frente.

O biscoito e a carne-seca foram regados com alguns goles de água com gim.

Terminado o café da manhã, meu tio tirou do bolso uma caderneta destinada a suas observações. Ele foi pegando cada um de seus instrumentos e anotou os dados a seguir:

Segunda-feira, 1º de julho.
Cronômetro: 8h17m.
Barômetro: 9.055,61 mm.
Termômetro: 6°.
Direção: L-S-L.

Essa última observação referia-se à galeria obscura, e foi dada pela bússola.

– É agora, Axel – o professor exclamou, entusiasmado –, que vamos nos embrenhar de verdade nas entranhas da Terra. Este é o momento preciso em que começa a nossa viagem.

Com essas palavras, meu tio pegou o aparelho de Ruhmkorff pendurado em seu pescoço e, com a outra, ligou a corrente elétrica à bobina da lanterna, fazendo uma luz forte dissipar as trevas da galeria.

Hans levava o segundo aparelho, que também foi ligado. O objeto engenhoso de eletricidade nos permitiria caminhar por bastante tempo criando uma luz do dia artificial mesmo em meio a gases altamente inflamáveis.

– Em frente! – exclamou meu tio.

Cada um pegou seu pacote. Hans encarregou-se de ir empurrando o pacote de cordas e roupas, e entramos na galeria, comigo no final da fila.

Um momento antes de ser engolido por aquele corredor escuro, ergui os olhos e vi, pela última vez, no final do tubo imenso, o céu da Islândia, que, pensei, jamais voltaria a ver.

Em sua última erupção, em 1229, a lava havia aberto caminho através daquele túnel. Revestira seu interior com um verniz grosso e brilhante. A luz elétrica se refletia nele agora, tornando-se cem vezes mais intensa.

A maior dificuldade do percurso foi tentar não deslizar rápido demais pelo declive inclinado de uns quarenta e cinco graus. Felizmente, algumas erosões e protuberâncias serviam como degraus, e precisávamos apenas descer, deixando cair à frente nossas bagagens amarradas por uma longa corda.

No entanto, as mesmas protuberâncias que serviam de degraus aos nossos pés viravam estalactites em outras paredes. Porosa em alguns lugares, a lava apresentava pequenos bulbos arredondados. Cristais de quartzo opaco, decorados por gotas límpidas de vidro e suspensas como lustres no teto, pareciam se acender com a nossa passagem. Era como se os espíritos do abismo iluminassem seu palácio para receber os hóspedes da terra.

– É maravilhoso! – exclamei, sem querer. – Que espetáculo, meu tio! O senhor está vendo esses matizes de lava que vão do vermelho-amarronzado ao amarelo-brilhante numa gradação lenta? E esses cristais que parecem globos luminosos?

– Ah, agora sim, Axel! – respondeu meu tio. – Se acha isso esplêndido, imagine o resto. Vamos andando!

Ele bem que poderia ter dito "vamos escorregando", pois assim seguiríamos sem nos cansar sobre esses declives inclinados. Era como o *"facilis descensus Averni"* de Virgílio. A bússola, que eu consultava o tempo inteiro, indicava a direção sudeste com uma exatidão imperturbável. Essa corrente de lava não se inclinava nem para um lado nem para outro. Era inflexível como uma linha reta.

Não deu para sentir o calor aumentando. Isso dava razão às teorias de Davy; mais de uma vez consultei o termômetro com espanto. Duas horas depois da partida, continuava marcando 10°, ou seja, um aumento de 4°. Isso me permitia pensar que nossa descida era mais horizontal do que vertical. Quanto a conhecer exatamente a profundidade atingida, nada mais fácil. O professor mediu exatamente os ângulos de desvio e inclinação do percurso, mas guardou para si o resultado de suas observações.

À noite, por volta das vinte, ele deu o sinal para pararmos. Hans sentou-se na hora. As lâmpadas foram penduradas numa saliência de lava. Estávamos numa espécie de caverna onde não faltava ar. Pelo contrário. Havia até alguns ventos que chegavam até nós. O que será que os produzia? A que tipo de agitação atmosférica poderíamos atribuir sua origem? Não tentei resolver essa questão naquele momento. A fome e o cansaço me deixavam incapaz de pensar. Não dá para fazer uma descida de sete horas consecutivas sem um grande gasto de energia. Eu estava esgotado. Por isso, foi bom ouvir a ordem de parada. Hans dispôs algumas provisões sobre um bloco de lava e todos comemos com apetite.

No entanto, uma coisa me inquietava. Nossa reserva de água estava pela metade. Meu tio pretendia reabastecê-la em fontes subterrâneas, mas, até agora, não havíamos encontrado nenhuma. Não pude deixar de comentar esse assunto com ele.

– Essa ausência de fontes surpreende você? – ele perguntou.

– Claro, e fico até preocupado. Só temos água para mais cinco dias.

– Fique tranquilo, Axel, garanto que vamos encontrar água de sobra.

– E quando?

– Quando sairmos desse revestimento de lava. Como você quer que as nascentes jorrem por paredes como essas?

– Mas e se essa corrente se prolongar por grandes profundidades? Parece que não descemos um caminho muito vertical.

– O que faz você pensar isso?

– Porque, se tivéssemos avançado mais o interior da crosta terrestre, o calor seria mais forte.

– Na sua lógica, talvez – meu tio retrucou. – O que o termômetro indica?

– Só quinze graus, o que dá um aumento de apenas nove graus desde nossa partida.

– E o que você conclui?

– Concluo que, segundo as observações mais precisas, a temperatura no interior da Terra aumenta em um grau a cada trinta metros. Mas certas condições de localidade podem modificar essa proporção. Por exemplo, em Yakutsk, na Sibéria, verificou-se que a temperatura se eleva um grau a cada onze metros. Obviamente, isso depende da condutibilidade das rochas. Observou-se também que, perto de vulcões extintos e através da gnaisse, a temperatura sobe um grau a cada trinta e oito metros. Então, vamos pegar essa última hipótese, que é a mais favorável, e calcular.

– Calcule, meu filho.

– Nada mais fácil – eu disse, colocando os números no caderno. – Nove vezes trinta e oito dá trezentos e quarenta e dois metros de profundidade.

– Certo.

– E então?

– E então que, pelas minhas observações, chegamos a três quilômetros abaixo do nível do mar.

– Como é possível?

– Ora, os números nem sempre são confiáveis!

Os cálculos do professor estavam exatos. Já havíamos ultrapassado quase dois quilômetros; as maiores profundidades alcançadas pelo homem, como as minas de Kitz-Bahl, no Tirol, e as de Württemberg, na Boêmia.

A temperatura, que deveria ser de oitenta e um graus naquele lugar, não passava de quinze. Isso dava matéria para pensar.

CAPÍTULO 19

No dia seguinte, terça-feira, 30 de junho, às seis horas, retomamos a descida.

Seguíamos sempre a galeria de lava, uma verdadeira rampa natural, suave como os planos inclinados que ainda substituem escada em casas antigas. Foi assim até o meio-dia e dezessete, instante preciso em que topamos com Hans, que tinha acabado de parar.

– Ah! – exclamou meu tio. – Chegamos à extremidade da chaminé.

Olhei ao meu redor. Estávamos no centro de uma encruzilhada que dava para dois caminhos, ambos escuros e estreitos. Qual seria melhor pegar? Era um problema e tanto.

No entanto, meu tio não quis parecer hesitante na minha frente ou na do guia. Escolheu o túnel leste, e nele logo entramos.

Além disso, qualquer hesitação diante desse caminho duplo duraria para sempre; não havia nenhum indício para determinar a escolha de um ou de outro. Era preciso pôr nas mãos do acaso.

A galeria tinha uma inclinação mais suave e um perfil desigual. Às vezes, estendia-se por uma série de arcos como as naves de uma catedral gótica. Os artistas da Idade Média teriam conseguido estudar todas as formas daquela arquitetura religiosa que tinha a ogiva como origem. Um quilômetro e meio depois, tínhamos de abaixar a cabeça sob arcos abatidos de estilo romano, e grandes pilares engastados no maciço curvavam-se sob o assento das abóbadas. Em certos lugares, essa disposição dava lugar a substruções baixas que lembravam obras de castores, e precisávamos passar rastejando por algumas passagens estreitas.

O calor continuou num nível suportável. Involuntariamente, pensei sobre sua intensidade na época em que as lavas expelidas pelo Sneffels se precipitavam por aquele caminho hoje tão tranquilo. Imaginei as torrentes de fogo curvadas pelos ângulos da galeria e o acúmulo de vapores superaquecidos dentro daquele ambiente estreito...

"Tomara", pensei, "que esse velho vulcão não venha retomar essa fantasia tardia!"

Não comentei esses pensamentos com meu tio Lidenbrock. Ele não entenderia. Só pensava em seguir adiante. Andava, escorregava, *e até caía às vezes*, com uma convicção admirável, apesar de tudo.

Às dezoito horas, depois de uma caminhada nem tão cansativa, havíamos percorrido dez quilômetros para o sul, mas só uns quatrocentos metros de profundidade.

Meu tio deu o sinal para o descanso. Comemos sem conversar muito e dormimos sem pensar demais.

Nossos preparativos para a noite eram bem simples: um cobertor de viagem em que nos enrolávamos era toda nossa roupa de cama. Não havia o que temer do frio ou de visitas inesperadas. Os viajantes que se embrenham em meio aos desertos da África ou às florestas do Novo Mundo têm de montar guarda durante as horas de sono. Aqui, porém, a solidão absoluta era uma certeza. Não tínhamos de temer nenhuma espécie perversa, nem selvagens, nem animais ferozes.

Acordamos no dia seguinte descansados e dispostos. Retomamos a caminhada. Seguimos por um caminho de lava como no dia anterior. Era impossível reconhecer a natureza dos terrenos que atravessávamos. Em vez de penetrar nas entranhas da Terra, o túnel ia ficando totalmente horizontal. Tive até a impressão de que estávamos voltando à superfície da Terra. Essa disposição foi ficando tão evidente, *lá pelas dez e,* por consequência, tão cansativa, que fui obrigado a interromper nossa caminhada.

– O que houve, Axel? – o professor perguntou, com impaciência.

– O que houve é que não aguento mais – respondi.

– Como assim? Depois de só três horas de caminhada por um caminho tão tranquilo!

– Tranquilo sim, mas cansativo também.

– Ora essa! Mas estamos descendo!

– Subindo, se me permite dizer...

– Subindo? – resmungou meu tio, encolhendo os ombros.

– Acho que sim. Faz uma meia hora que as inclinações mudaram, e, se as seguirmos assim, com certeza vamos voltar à superfície da Islândia.

O professor balançou a cabeça como quem não quer se deixar convencer. Tentei continuar a conversa. Ele não me respondeu, e deu o sinal de partida. Pude notar que seu silêncio não passava de mau humor introspectivo.

Corajosamente, voltei a pegar meu fardo e segui rápido atrás de Hans, que vinha na frente do meu tio. Tentava não ficar longe. Minha maior preocupação era não perder meus companheiros de vista. Tremia só de pensar em ficar sozinho nas profundezas daquele labirinto.

A rota ascendente ia ficando mais exaustiva, mas meu consolo era pensar que ela me aproximava da superfície da Terra. Era uma esperança que cada passo me dava.

Ao meio-dia, as paredes foram mudando de aspecto. Percebi isso porque o reflexo da luz elétrica nas muralhas foi ficando mais fraco. O revestimento de lava foi substituído por rochas brilhantes. O maciço era agora composto por camadas inclinadas e, muitas vezes, verticais. Estávamos em plena época de transição, em pleno período siluriano.*

– É evidente que, na segunda era da Terra, os sedimentos das águas formaram esses xistos, calcários e arenitos! Deixamos o maciço granítico para trás! Estamos parecendo as pessoas de Hamburgo que pegam o caminho de Hannover para Lübeck.

Deveria ter guardado esses comentários para mim. Mas minha verve de geólogo foi mais forte do que a cautela, e meu tio Lidenbrock ouviu minhas exclamações.

– O que há com você? – ele perguntou.

– Veja só! – respondi, mostrando-lhe a sucessão variada de arenitos, calcários e os primeiros indícios de terrenos ardosiados.

– E daí?

– Chegamos ao período em que surgiram as primeiras plantas e os primeiros animais!

– Ah, você acha?

---

* Recebe este nome porque os terrenos desse período são muito comuns na Inglaterra em territórios antes habitados pela tribo celta dos siluros.

— É só olhar! Examine, observe!

Obriguei o professor a apontar a lâmpada para as paredes da galeria. Pensei que fosse exclamar algo. Mas longe disso; ele não disse nada, e continuou a andar.

Mas será que havia entendido? Será que não queria admitir, por orgulho de tio e cientista, que havia se enganado escolhendo o túnel leste, ou será que queria explorar essa passagem até o fim? Estava claro que tínhamos deixado o caminho das lavas, e que esse caminho não tinha como conduzir ao núcleo do Sneffels.

Mesmo assim, perguntava-me se não estava dando importância demais à modificação dos terrenos. Será que estava me iludindo? Estávamos realmente atravessando essas camadas de rochas superpostas ao maciço granítico?

"Se estiver certo", pensei, "devo encontrar algum resquício de planta primitiva para me servir de prova. Vamos procurar."

Não tinha andado nem cem passos quando provas incontestáveis apareceram diante dos meus olhos. Era verdade. Afinal, no período siluriano, os mares continham mais de mil e quinhentas espécies vegetais e animais. Meus pés, acostumados com o solo duro das lavas, pisaram de repente num terreno de restos de plantas e conchas. Nas paredes, dava para ver claramente as marcas de cavalinhos-do-mar e licopódios. O professor Lidenbrock não tinha como refutar. Mas imagino que tenha fechado os olhos e seguido o caminho no mesmo ritmo.

Sua teimosia não tinha limites. Eu já não suportava mais. Peguei uma concha perfeitamente conservada, que deveria ter pertencido a um animal meio semelhante ao tatuzinho-de-jardim moderno. Levei até meu tio e disse:

– Olhe!

– O que tem? – ele perguntou, na maior tranquilidade.
– É a concha de um crustáceo da ordem desaparecida dos trilobitos. Só pode ser isso.

– Mas o senhor não conclui que...

– O mesmo que você? Sim. Claro. Saímos da camada de granito e do caminho das lavas. É possível que eu tenha me enganado, mas só vou ter certeza disso no momento em que tivermos chegado à extremidade desta galeria.

– O senhor tem razão em agir assim, meu tio, e eu concordaria com mais ênfase se não tivéssemos um perigo cada vez mais ameaçador a temer.

– Qual?

– A falta d'água.

– Vamos racionar então!

CAPÍTULO 20

Realmente era preciso racionar. Nossas provisões não teriam como durar mais de três dias. Notei isso na hora do jantar. E, terrível expectativa, não tínhamos muita esperança de encontrar nenhuma nascente naqueles terrenos da época de transição.

Durante todo o dia seguinte, a galeria exibiu seus arcos intermináveis à nossa frente. Andávamos quase sem conversar. O silêncio de Hans nos contagiou.

O trajeto não subia mais, pelo menos não de forma evidente. Às vezes, até parecia descer. Mas não era uma tendência acentuada a ponto de dar razão ao professor, pois, além disso, a natureza das camadas continuava a mesma, o que só reafirmava o período de transição.

A luz elétrica fazia os xistos, calcários e arenitos vermelhos das paredes brilharem com esplendor. Dava para pensar que estávamos dentro de uma vala aberta no meio de Devonshire, que deu nome a esse tipo de terreno. Exemplares magníficos de mármore revestiam as muralhas, alguns de uma cor cinza de ágata com veias brancas salientadas com capricho, outros de uma cor encarnada ou de um amarelo com manchas vermelhas, outras ainda de cores escuras, nas quais o calcário se destacava em cores vivas.

A maior parte desses mármores apresentava pegadas de animais primitivos. No entanto, dava para ver o progresso evidente da criação desde o dia interior. Em vez de trilobitos rudimentares, eu via fósseis de uma ordem mais perfeita, como peixes ganoides e sauropteris, nos quais o olho atento dos paleontólogos conseguiu descobrir as primeiras formas dos répteis. Os mares devonianos eram habitados por um grande número de animais dessa espécie, que foram depositados aos milhares nas rochas da nova formação.

Ficava claro que estávamos subindo a escala da vida animal, cujo topo é ocupado pelo homem. Mas o professor Lidenbrock não parecia prestar atenção.

Esperava uma de duas coisas: que um poço vertical se abrisse sob seus pés para lhe permitir retomar a descida, ou que um obstáculo o impedisse de seguir por esse trajeto. Mas a noite chegou sem que essa esperança se tornasse realidade.

Na sexta-feira, depois de uma noite em que começava a sofrer os martírios da sede, nosso pequeno grupo voltou a se embrenhar nas curvas da galeria.

Depois de dez horas de marcha, notei que o reflexo das nossas lâmpadas nas paredes ia diminuindo visivelmente. O mármore, o xisto, o calcário e os arenitos das muralhas davam lugar a um revestimento escuro e sem brilho. Em um momento, em que o túnel ficou muito estreito, apoiei-me na parede.

Quando tirei a mão, ela estava totalmente preta. Observei com mais atenção. Estávamos em plena jazida de carvão.

– Uma mina de carvão! – exclamei.

– Uma mina sem mineradores – meu tio retrucou.

– Quem sabe?

– Eu sei – o professor respondeu, curto e grosso –, e tenho certeza de que essa galeria aberta entre as camadas de carvão não foi feita pela mão do homem. Mas não importa se é ou não obra da natureza. Chegou a hora de jantar. Vamos comer.

Hans preparou alguns alimentos. Comi com dificuldade e bebi as poucas gotas de água que compunham minha ração. O cantil do guia, pela metade, era tudo o que restava para matar a sede dos três.

Depois do jantar, meus dois companheiros se deitaram sobre suas cobertas e encontraram no sono um remédio para seu cansaço. Já eu, *não consegui dormir*, fiquei contando as horas até de manhã.

No sábado, às seis, partimos. Vinte minutos depois, chegamos a um fosso enorme. Admiti, então, que não havia como a mão do homem ter criado aquela mina. Se este tivesse sido o caso, teriam escorado as abóbadas, que só se sustentavam por algum milagre de equilíbrio.

Essa espécie de caverna tinha uns trinta metros de largura por quarenta e cinco de altura. O terreno havia sido violentamente separado por uma comoção subterrânea. Cedendo a algum impulso potente, o maciço terrestre tinha se deslocado, deixando esse grande vazio onde os habitantes da terra penetraram pela primeira vez.

Toda a história do período carbonífero estava escrita naquelas paredes escuras, nas quais um geólogo poderia facilmente acompanhar suas diversas fases. As camadas de carvão eram separadas por estratos compactos de arenito ou argila, como se fossem calçadas pelas camadas superiores.

Naquela era do mundo, que precedeu a secundária, a Terra se recobriu de imensas vegetações graças à ação dupla de um calor tropical e de uma umidade persistente. Uma atmosfera de vapores envolveu a Terra por todas as partes, privando-a dos raios de sol.

Daí vem a conclusão de que as altas temperaturas não provinham desse novo núcleo. Talvez até o astro dos dias não fosse capaz de representar seu papel radiante. Os "climas" não existiam ainda, e um calor tórrido espalhou-se por toda a superfície do globo, tanto no Equador como nos polos. De onde ele vinha? Do interior da Terra.

Ao contrário das teorias do professor Lidenbrock, uma chama violenta havia se espalhado pelas entranhas do globo. Dava para sentir sua ação até as últimas camadas da crosta terrestre. As plantas, sem os raios saudáveis do sol, não davam flor nem perfume, mas suas raízes extraíam muita vida dos terrenos escaldantes daqueles primeiros dias.

Havia poucas árvores, apenas plantas herbáceas, gramados enormes, samambaias, licopódios, sigilárias, asterofilites, famílias agora raras que, na época, tinham milhares de espécies.

É exatamente a essa vegetação exuberante que o carvão deve sua origem. A crosta elástica do globo obedecia aos movimentos da massa líquida que recobria. Daí surgiram fissuras e desabamentos. Pouco a pouco, as plantas, arrastadas sob as águas, foram formando acúmulos consideráveis.

Então, interveio a ação da química natural; no fundo dos mares, as massas vegetais, primeiro, viraram turfa. Depois, graças à influência dos gases e do calor da fermentação, sofreram uma mineralização total.

Assim se formaram essas camadas imensas de carvão, que nem o consumo de todos os povos por tantos séculos conseguiu esgotar.

Essas reflexões me vinham à mente enquanto examinava as riquezas carboníferas acumuladas dentro dessa parte do maciço terrestre. É provável que essas riquezas nunca fossem descobertas. A exploração dessas minas remotas exigiria sacrifícios grandes demais. Para que seria *útil, aliás, se existe carvão de* sobra na superfície da Terra em tantos lugares? Aquelas camadas permaneceriam intactas até o fim do mundo.

Enquanto isso, íamos caminhando e, afastado dos meus companheiros, esqueci como o percurso era longo para me perder em meio a considerações geológicas. A temperatura parecia a mesma que a da nossa passagem em meio às lavas e xistos. A única diferença era que eu sentia um forte cheiro de metano. Na mesma hora, reconheci na galeria a presença de uma quantidade notável desse vapor perigoso que os mineradores chamam de grisu, cuja explosão causou catástrofes terríveis.

Felizmente, nossa luz vinha dos engenhosos aparelhos de Ruhmkorff. Se porventura tivéssemos sido imprudentes a ponto de explorar aquelas galerias com uma tocha na mão, uma explosão terrível teria acabado com a viagem e eliminado os viajantes.

Essa expedição na jazida durou até a noite. Meu tio mal conseguia conter a impaciência com a horizontalidade do trajeto. As trevas, sempre profundas até uns vinte passos, nos impediam de estimar a extensão real da galeria, e eu já estava começando a achar que era interminável quando, de repente, às dezoito horas, nos deparamos com um muro inesperado. À direita, à esquerda, para cima, para baixo – não havia nenhuma passagem. Era um beco sem saída.

– Melhor assim! – exclamou meu tio. – Pelo menos, agora sei em que me basear. Não estamos no caminho de Saknussemm, então, *só nos resta voltar. Vamos dormir à* noite e, em menos de três dias, estaremos de volta à bifurcação.

– Sim – respondi –, se nos restarem forças!

– E por que não nos restariam?

– Porque amanhã a água vai acabar.

– E a sua coragem vai acabar também? – ironizou o professor, encarando-me com severidade.

Não me atrevi a responder.

CAPÍTULO 21

No dia seguinte, partimos ainda de madrugada. Precisávamos nos apressar. Estávamos a cinco dias de caminhada da bifurcação.

Não vou detalhar os sofrimentos de nosso retorno. Meu tio os suportou com a raiva de um homem que descobre ser menos forte do que pensava; Hans, com a resignação da sua natureza pacífica; e eu, confesso, lamentando desesperadamente. Não era possível ter coragem diante de tanta má sorte.

Como eu havia previsto, a água acabou por completo ao fim do primeiro dia de caminhada. Nossa provisão líquida se reduziu então ao gim, mas aquele destilado infernal queimava a garganta, eu não aguentava mais nem olhar para ele. Achava a temperatura sufocante. O cansaço me paralisava. Mais de uma vez quase caí, inerte. Então, parávamos. Era reconfortado pelo islandês ou pelo meu tio, que, porém, também já estava reagindo mal ao cansaço extremo e às torturas da privação da água.

Finalmente, na terça, 8 de julho, arrastando-nos de quatro, chegamos quase mortos ao ponto de interseção das duas galerias. Lá, caí como uma massa inerte, estendido no chão de lava. Eram dez horas.

Hans e meu tio, encostados à parede oposta, tentavam mastigar alguns pedaços de biscoito. Longos gemidos escapavam de meus lábios inchados. Caí num sono profundo.

Depois de certo tempo, meu tio se aproximou e me ergueu em seus braços:

– Pobre menino! – murmurou, com um tom de piedade sincera.

Fiquei comovido com suas palavras, já que não estava acostumado com ternuras vindas do cruel professor. Segurei suas mãos trêmulas junto às minhas. Ele as soltou, observando-me. Seus olhos estavam úmidos.

Então o vi pegar seu cantil pendurado no ombro, e, para meu grande espanto, aproximou-o de meus lábios.

– Beba – ele disse.

Eu tinha entendido direito? Meu tio estava louco? Eu o observava estupefato. Não queria entender.

– Beba – repetiu.

Erguendo o cantil, virou-o completamente entre meus lábios.

Ah, alegria infinita! Um gole de água umedeceu minha boca em chamas, apenas um, mas foi o suficiente para me trazer de volta à vida que estava se esvaindo.

Agradeci a meu tio unindo as mãos.

– Sim – ele disse –, um gole de água! O último! Está me escutando? O último! Guardei com todo cuidado no fundo do cantil. Tive de resistir umas vinte, cem vezes, à vontade terrível de beber! Mas não, Axel, reservei esse gole apenas para você.

– Meu tio! – murmurei, com os olhos cheios de lágrimas.

– Sim, meu pobre rapaz, sabia que, assim que você chegasse a essa encruzilhada, cairia quase morto, e guardei minhas últimas gotas d'água para reanimá-*lo*.

– Obrigado! Obrigado! – agradeci.

Embora a sede não tivesse sido totalmente saciada, consegui recuperar um pouco das minhas forças. Os músculos da garganta, contraídos até então, relaxaram. A inflamação dos meus lábios se acalmou. Eu conseguia falar.

– Bom – eu disse –, só nos resta um caminho a tomar agora. Estamos sem água. Precisamos retraçar nossos passos.

Enquanto eu falava, meu tio evitava me olhar. Baixou a cabeça para não me encarar.

– Precisamos voltar – exclamei – e refazer o caminho do Sneffels. Que Deus nos dê forças para subir de volta até o topo da cratera!

– Voltar! – exclamou meu tio, como se respondesse mais a si mesmo do que a mim.

– Sim, voltar. Não podemos perder nem mais um minuto.

Houve um longo momento de silêncio.

– Quer dizer, Axel – retomou o professor, com um tom estranho –, que essas gotas de água não lhe devolveram a coragem e a energia?

– Coragem?

– Estou vendo que continua abatido e falando com desespero!

Com que tipo de pessoa eu estava lidando, e que projetos seu espírito audacioso continuava a engendrar?

– O senhor não pretende...?

– Desistir dessa expedição? Agora que tudo indica que ela vai ter sucesso? De jeito nenhum!

– Então, devo me resignar à morte?

– Não, Axel, é claro que não! Pode ir embora! Não desejo sua morte. Hans vai acompanhar você. Deixe-me sozinho!

– Abandonar o senhor?

– Pode me deixar, é o que estou dizendo! Se comecei esta viagem, vou até o fim, mesmo que nunca mais volte. Vá embora, Axel, vá!

Meu tio falava com extrema emoção. Sua voz, enternecida por um instante, voltou a ser dura e ameaçadora. Ele lutava com uma energia sombria contra o impossível! Eu não queria abandoná-lo no fundo daquele abismo, mas, por outro lado, o instinto de sobrevivência me mandava fugir.

O guia acompanhava a cena com sua indiferença habitual. No entanto, entendia o que se passava entre os companheiros. Nossos gestos eram mais do que o bastante para indicar que cada um de nós queria arrastar o outro em direções opostas. Mas Hans não parecia muito interessado na questão, ainda que sua vida estivesse em jogo; estava disposto a partir, se lhe déssemos o sinal, e a ficar, se fosse essa a vontade do cliente.

O que eu não daria naquele momento para que o guia me entendesse! Minhas palavras, meus gemidos e meu tom convenceriam sua natureza fria. Eu o faria entender e sentir os perigos de que mal parecia suspeitar. Talvez, juntos, conseguíssemos convencer o teimoso professor. Nem que o levássemos à força até o topo do Sneffels!

Eu me aproximei de Hans. Coloquei minha mão sobre a sua. Ele não se mexeu. Mostrei o caminho da cratera. Continuou imóvel. Minha expressão ofegante exibia todo o meu sofrimento. O islandês balançou a cabeça com tranquilidade e, apontando para meu tio, disse:

– *Master*.

– Patrão! – exclamei. – Seu maluco! Ele não é dono da sua vida! Precisamos fugir! Precisamos levá-lo embora! Escute! Não consegue me entender?

Peguei Hans pelo braço. Queria obrigá-lo a se levantar. Atraquei-me com ele. Meu tio interveio.

– Acalme-se, Axel – ele disse. – Você não vai conseguir nada com esse empregado impassível. Agora, escute minha proposta.

Cruzei os braços, encarando meu tio.

– A falta d'água – ele disse – é o único obstáculo ao sucesso dos meus planos. Nessa galeria leste, feita de lavas, xistos e carvões, não encontramos nenhuma molécula líquida. É possível que tenhamos mais sorte seguindo o túnel oeste.

Balancei a cabeça, completamente incrédulo.

– Escute até o final – retomou o professor, erguendo a voz. – Enquanto você estava aí caído sem se mexer, fiz o reconhecimento da configuração da galeria. Ela penetra diretamente nas entranhas do globo e, em poucas horas, vai nos conduzir ao maciço granítico. Lá, vamos encontrar nascentes de sobra. É da natureza das rochas, e a minha convicção é apoiada tanto pelo meu instinto como pela lógica. Escute a minha proposta. Quando Colombo pediu três dias à sua tripulação para encontrar terras novas, mesmo doente e amedrontada, ela acatou seu pedido, e foi assim que ele descobriu o Novo Mundo. Eu sou o Colombo dessas regiões subterrâneas, *e peço só mais um dia. Se, depois desse tempo, não encontrar a água que nos falta, juro que voltamos à su- perfície da Terra.*

Por mais irritado que estivesse, emocionei-me com as palavras dele e com o arrebatamento do meu tio ao falar dessa forma.

– Está bem! – exclamei. – Vamos fazer o que o senhor deseja, e que Deus recompense sua energia sobre-humana. O senhor só tem mais algumas horas para tentar a sorte. Vamos em frente!

CAPÍTULO 22

A descida recomeçou, dessa vez pela galeria nova. Hans caminhava na frente, como sempre. Não tínhamos andado nem cem passos quando o professor, apontando a lanterna para as muralhas, exclamou:

– Aqui estão os terrenos primitivos! Estamos no caminho certo! Vamos andando! Vamos!

Quando o planeta foi esfriando devagar nos primeiros dias do mundo, a redução do seu volume produziu deslocamentos, rupturas, contrações e fendas na crosta terrestre. O corredor de agora era uma fissura desse tipo pela qual, antigamente, havia se estendido o granito eruptivo. Suas milhares de curvas formavam um labirinto inextricável através do solo primordial.

À medida que íamos descendo, a sucessão de camadas que compunham o terreno primitivo ia aparecendo com mais nitidez. A ciência geológica considera esse terreno primitivo como a base da crosta mineral, e descobriu que ela é composta por três camadas diferentes – xistos, gnaisses e micaxistos –, que repousam sobre a rocha inabalável que chamamos de granito.

Mas nunca um mineralogistas encontrou circunstâncias tão maravilhosas para estudar a natureza *in loco*. O que a sonda, uma máquina inteligente, mas violenta, não conseguia levar da textura interna da Terra até a superfície, nós estudaríamos com nossos próprios olhos e tocaríamos com nossas próprias mãos.

Em todo o patamar de xistos coloridos de lindos matizes verdes, serpenteavam veios metálicos de cobre e manganês com traços de platina e ouro. Pensava nessas riquezas escondidas nas entranhas da Terra em que a ganância humana jamais colocaria as mãos! As perturbações das primeiras eras haviam enterrado aqueles tesouros tão profundamente que nenhuma pá ou picareta conseguiria tirá-los de seu túmulo.

Depois dos xistos, vieram os gnaisses com uma estrutura estratiforme, e uma regularidade e um paralelismo extraordinários em suas folhas, e depois os micaxistos, dispostos em grandes lamelas realçadas pelos brilhos da mica branca.

A luz dos aparelhos, refletida pelas pequenas facetas da massa rochosa, criava jatos de chama em todos os ângulos, e eu sentia que estava viajando através de um diamante oco em que os raios se quebravam em mil ofuscações.

Perto das dezoito horas, essa festa de luzes foi diminuindo notavelmente, até quase cessar. As paredes assumiram um tom cristalizado, mas escuro. A mica se misturou mais proximamente ao feldspato e ao quartzo para formar a rocha por excelência, a pedra mais dura de todas, aquela que suporta, sem nunca ser esmagada, os quatro andares do terreno do globo. Estávamos cercados dentro da imensa prisão de granito.

Eram vinte horas. Não havia água em lugar algum. Eu sofria terrivelmente. Meu tio caminhava na frente. Não queria parar. Acurava os ouvidos para procurar os murmúrios de alguma nascente. Mas nada.

Enquanto isso, minhas pernas iam se recusando a me carregar. Resisti ao meu sofrimento para não obrigar meu tio a parar. Devia ser desesperador para ele, pois estava terminando o dia, o último que lhe foi dado.

Finalmente, perdi as forças. Soltei um grito e caí.

– Socorro! Estou morrendo!

Meu tio deu meia-volta e me examinou com os braços cruzados. Depois, soltou as palavras surdas:

– Está tudo acabado!

Vi um último gesto de uma cólera terrível antes de fechar os olhos.

Quando voltei a abri-los, encontrei meus dois companheiros imóveis, enrolados em suas cobertas. Será que estavam dormindo? Já eu não conseguia encontrar um instante sequer de descanso. Sofria demais e, principalmente, com a ideia de que meu mal não tinha remédio. As últimas palavras de meu tio voltavam aos meus ouvidos.

"Está tudo acabado!" Afinal, num estado de fraqueza como aquele, de nada adiantava voltar à superfície da Terra.

Faltavam mais de sete quilômetros para a crosta terrestre! Parecia ter o peso de toda essa massa sobre meus ombros. Sentia-me esmagado, e esgotava esforços terríveis para voltar à minha cama de granito.

Passaram-se algumas horas. Um silêncio profundo e sepulcral reinou ao nosso redor. Nada chegava através daquelas muralhas, cuja mais fina media oito quilômetros de espessura.

Mesmo assim, em meio ao torpor, acreditei ter ouvido um barulho. Estava completamente escuro no túnel. Observei com mais atenção e pensei ter visto o islandês desaparecendo, com a lâmpada na mão.

Por que ele partia? Será que estava nos abandonando? Meu tio continuava dormindo. Quis gritar. Minha voz não conseguia atravessar meus lábios ressecados. A escuridão tinha ficado profunda, e deixei de ouvir os últimos ruídos.

– Hans está nos abandonando! – exclamei. – Hans! Hans!

Essas palavras mal conseguiram sair dos meus lábios. Não puderam ir muito longe. No entanto, depois desse primeiro instante de pavor, senti vergonha por desconfiar de um homem que, até então, não tivera nenhum comportamento suspeito. Sua partida não devia ser uma fuga. Em vez de voltar a subir a galeria, ele a estava descendo. Qualquer má intenção o teria levado para cima, não para baixo. Esse raciocínio me acalmou um pouco, e me levou a uma outra ordem de pensamentos. Apenas um motivo muito grave teria tirado Hans, um homem tão pacato, de seu descanso. Será que tinha ido atrás de alguma grande descoberta? Será que tinha ouvido, na noite silenciosa, um murmúrio cujo som não havia chegado até mim?

CAPÍTULO 23

Durante uma hora fiquei imaginando, no meu cérebro delirante, todos os motivos que poderiam ter feito o tranquilo caçador agir daquela forma. As ideias mais absurdas se emaranhavam na minha cabeça. Pensei que ficaria louco!

Finalmente, porém, surgiu o som de passos nas profundezas do abismo. Hans voltava a subir. A luz incerta começava a se refletir nas paredes até chegar pelo orifício do corredor. Hans ressurgiu.

Ele se aproximou do meu tio, colocou a mão em seu ombro e o acordou suavemente. Meu tio se levantou.

– O que houve? – perguntou.

– *Vatten* – respondeu o caçador.

Só restava supor que, com a inspiração das dores violentas, todos haviam se tornado poliglotas. Mesmo não sabendo nada de dinamarquês, entendi por instinto a palavra de nosso guia.

– Água! Água! – exclamei, batendo palmas e gesticulando feito louco.

– Água! – repetiu meu tio. – *Hvar*? – perguntou ao islandês.

– *Nedat* – respondeu Hans.

Onde? Embaixo! Entendi tudo. Eu tinha pegado as mãos do caçador e as apertava enquanto ele me observava com calma.

Os preparativos para a partida não demoraram muito e logo descemos o corredor, cuja inclinação chegava a trinta centímetros por metro.

Uma hora depois, havíamos andado uns quinhentos metros e descido seiscentos metros.

Nesse momento, ouvimos claramente um som raro correr nos flancos da muralha granítica, uma espécie de bramido surdo, como uma trovoada distante. Sem encontrar nem sinal da nascente anunciada na primeira meia hora, estava voltando a me sentir angustiado. Agora, porém, meu tio me apontou a origem dos barulhos que ouvíamos.

– Hans não se enganou – ele disse. – Isso que você está ouvindo é o bramido de uma torrente.

– Uma torrente? – exclamei.

– Sem dúvida. Um rio subterrâneo corre à nossa volta!

Apertamos o passo, animados pela esperança. Não sentia mais cansaço. Aquele barulho de água murmurante bastou para me revigorar. A torrente, depois de se manter acima de nossas cabeças por um bom tempo, corria agora pela parede da esquerda, bramindo e pulando. A toda hora eu passava a mão sobre a rocha, à espera de encontrar algum sinal de escoamento ou umidade. Mas foi em vão.

Mais meia hora se passou. Mais dois quilômetros e meio foram percorridos.

Ficou claro que, em sua ausência, o caçador não tinha conseguido prolongar sua busca além daquele ponto. Guiado por um instinto particular de montanheiros e hidróscopos, ele "sentiu" essa torrente através da rocha, mas com certeza não tinha visto o líquido precioso, nem chegara a saciar a própria sede.

Logo constatamos também que, se nossa caminhada continuasse, nos afastaríamos da torrente, cujo murmúrio tendia a diminuir.

Demos meia-volta. Hans parou no lugar exato em que a torrente parecia mais próxima.

Sentei-me ao lado da muralha, enquanto as águas corriam a meio metro de nós com extrema violência. Mas um muro de granito ainda nos separava dela.

Sem pensar, sem questionar se não haveria algum jeito de conseguir aquela água, entreguei-me a um primeiro momento de desespero.

Hans me observou, e pensei ver um sorriso surgir em seus lábios.

Ele se levantou e pegou a lâmpada. Fui atrás dele enquanto se dirigia à muralha. Fiquei observando. Ele encostou a orelha na pedra seca e ficou seguindo devagar, prestando atenção. Entendi que estava procurando o ponto exato onde a torrente fazia mais barulho. Ele encontrou o ponto na parede lateral à esquerda, um metro acima do chão.

Como fiquei emocionado! Não tinha ousado adivinhar o que o caçador queria fazer! Mas entendi, e não tive como não aplaudir, cheio de carinho, quando o vi pegar a picareta para quebrar a rocha.

– Estamos salvos! – exclamei. – Estamos salvos!

– Sim – repetia meu tio, em frenesi. – Hans está certo! Ah, valente caçador! Nunca teríamos encontrado isso!

Era verdade! Por mais simples que fosse essa ideia, ela nunca teria passado pela nossa cabeça. Não havia nada de mais perigoso do que dar uma picaretada naquele nível da terra. E se acontecesse algum desmoronamento que nos esmagasse? E se a torrente, ao atravessar a rocha, causasse uma alagação? Esses perigos não tinham nada de fantasioso. Mas, enfim, os medos de desmoronamentos ou inundações não podiam nos impedir, e nossa sede era tamanha que, para matá-la, teríamos escavado até o leito do oceano.

Hans fez o trabalho que nem eu nem meu tio teríamos conseguido fazer. Movidos pela ansiedade, nossos golpes violentos teriam despedaçado as rochas. O guia, pelo contrário, calmo e moderado como era, foi desgastando a rocha devagar, com uma série de pequenos golpes repetidos, escavando uma abertura de uns quinze centímetros de largura. Ouvi o barulho da torrente crescer, e parecia já sentir a água salutar molhar meus lábios.

Logo a picareta estava entrando meio metro dentro da muralha de granito. O trabalho durou mais de uma hora. Estava me contorcendo de tanta impaciência. Meu tio queria usar as ferramentas maiores. Foi difícil impedi-lo, e eu tinha acabado de pegar sua picareta quando, de repente, ouvi um murmúrio. Um jato de água se lançou da muralha até a parede oposta.

Um pouco transtornado pelo choque, Hans soltou um grito de dor. Entendi o porquê quando, colocando as mãos no jato líquido, também soltei uma exclamação: a fonte estava escaldante!

– A água está com cem graus! – exclamei.

– É, mas vai esfriar – respondeu meu tio.

O corredor foi se enchendo de vapores, enquanto um riacho se formava e ia se perder nas sinuosidades subterrâneas. Não demoramos para tomar nosso primeiro gole.

Ah, que alegria! Que deleite incomparável! Que água era aquela? De onde vinha? Pouco importava. Era água, e, ainda que quente, trazia de volta ao coração a vida prestes a escapar. Eu não parava de beber, sem nem mesmo sentir o gosto.

Foi só depois de um minuto de deleite que exclamei:

– Mas essa água está com gosto de ferrugem!

– É ótima para o estômago – meu tio respondeu –, e tem alta mineralização! Essa viagem vale por uma estação de águas em Spa ou Toeplitz!

– Ah, mas é boa!

– Com certeza, uma água extraída dez quilômetros embaixo da Terra. Tem um gostinho de tinta que não é nada desagradável. Que bela nascente Hans encontrou! Acho que deveríamos dar seu nome para esse riacho salutar.

– Ótima ideia! – exclamei.

Assim, o riacho foi batizado como "Hans Bach". Hans não pareceu muito orgulhoso. Depois de se refrescar um pouco, sentou-se num canto com sua calma de sempre.

– Agora – eu disse –, não podemos deixar essa água se perder.

– Como assim? – perguntou meu tio. – Acho que a fonte é inesgotável.

– Não importa. Vamos encher o odre e os cantis, depois tentamos tampar a abertura.

Seguiram meu conselho. Hans tentou obstruir o corte na parede com pedaços de granito e estopa. Sem conseguir nada, acabamos queimando a mão. A pressão era forte demais, e nossos esforços foram em vão.

– Está claro – eu disse – que os lençóis superiores dessa corrente de água estão situados a uma grande altura, a julgar pela força do jato.

– Não há dúvidas – meu tio respondeu. – Se essa coluna de água tiver uns dez quilômetros de altura, tem umas mil atmosferas de pressão. Mas tive uma ideia.

– Qual?

– Por que insistir em encher essa abertura?

– Ora, porque...

Não consegui encontrar nenhum bom motivo.

– Por acaso temos certeza de que vamos encontrar água se nossos cantis se esvaziarem?

– É claro que não.

– Bom, vamos deixar a água correr. Ela vai descer naturalmente e nos guiar, refrescando-nos no caminho!

– Está aí uma boa ideia! – exclamei. – Tendo esse riacho como companheiro de viagem, não há motivos para nossos planos não darem certo.

– Ah, que bom que você entendeu, meu rapaz – o professor disse, rindo.

– Não só entendi como estou acompanhando tudo.

– Um instante! Antes, vamos descansar por algumas horas.

Tinha me esquecido completamente que já era noite. O cronômetro se encarregou de me avisar. Não demorou para todos, bem restaurados e refrescados, caírem num sono profundo.

CAPÍTULO 24

No dia seguinte, já havíamos nos esquecido dos sofrimentos pelos quais tínhamos passado. Acima de tudo, era uma surpresa não sentir mais sede, e me perguntei o motivo. O riacho murmurante que corria aos meus pés se encarregou de responder.

Tomamos o café da manhã e bebemos aquela maravilhosa água ferruginosa. Sentia-me completamente revigorado e decidido a ir longe. Por que um homem convicto como meu tio não teria sucesso com um guia engenhoso como Hans e um sobrinho determinado como eu? Esses eram os pensamentos que me passavam pela cabeça! Se me sugerissem voltar a subir ao cume do Sneffels, eu teria dito não, indignado.

Felizmente, porém, era só uma questão de descer.

– Vamos! – exclamei, despertando os velhos ecos do globo com minha voz entusiasmada.

Na quinta-feira, retomamos a caminhada às oito horas. O corredor de granito, cheio de curvas sinuosas, apresentava ângulos inesperados, e era confuso como um labirinto. Mas, em geral, sua principal direção era sempre sudeste. Meu tio não parava de consultar a bússola cuidadosamente para ter uma noção do caminho percorrido.

A galeria embrenhava-se de maneira quase horizontal, com uma inclinação de no máximo três centímetros por metro. O riacho corria sem pressa, murmurando aos nossos pés. Eu o comparava a algum tipo de espírito familiar que nos guiava através da terra, e, com a mão, acariciava essa náiade morna cujo canto acompanhava nossos passos. Meu bom humor logo assumiu um rumo mitológico.

Quem praguejava contra a horizontalidade da rota era meu tio, "o homem das verticais". Seu caminho estendia-se indefinidamente, e, em vez de deslizar ao longo do raio terrestre, seguia pela hipotenusa, como ele dizia. Mas não tínhamos opção, e, mesmo avançando pouco rumo ao centro, não tínhamos do que reclamar.

Verdade seja dita, de tempos em tempos as inclinações diminuíam. A náiade começava a descambar com seus gemidos, e descíamos mais profundamente junto com ela.

Resumindo, nesse dia e no seguinte, avançamos muito horizontalmente e relativamente pouco na vertical.

Segundo nossas estimativas, até a noite de sexta, 10 de julho, estávamos a uns cento e cinquenta quilômetros a sudeste de Reykjavik, e a uma profundidade de cinquenta quilômetros e meio.

Aos nossos pés, abriu-se então um poço assustador. Meu tio não pôde deixar de bater palmas quando calculou o declive daquela inclinação.

– Isso sim vai nos levar longe! – ele exclamou. – E vai ser fácil, pois as saliências da rocha formam uma verdadeira escada!

As cordas foram dispostas por Hans de maneira a evitar qualquer acidente. A descida começou. Eu não diria que foi uma descida perigosa, até porque, àquela altura, já tinha me acostumado com esse tipo de exercício.

O poço era uma fenda estreita cravada no maciço do tipo que chamamos "falha". Era evidente que tinha sido produzida pela contração da estrutura terrestre na época de seu resfriamento. Se no passado havia servido também como passagem para os materiais eruptivos expelidos pelo Sneffels, eu não conseguia explicar como não haviam deixado qualquer vestígio. Descemos por uma espécie de escada em caracol que parecia ter sido feita pela mão do homem.

Precisávamos parar de quinze em quinze minutos para descansar um pouco e recuperar a flexibilidade das panturrilhas. Sentávamos então em qualquer saliência, com as pernas dependuradas, conversando, comendo e matando a sede no riacho.

Não é preciso dizer que, naquela falha, Hans Bach tinha-se tornado uma cascata, perdendo seu volume. Mas ele era mais do que suficiente para saciar nossa sede. Além disso, nos declives menos acentuados, não deixava de retomar seu curso tranquilo. Naquele momento, eu lembrava de meu querido tio, com suas impaciências e acessos de raiva, enquanto, nessas inclinações mais suaves, tinha a calma do caçador islandês.

Nos dias 11 e 12 de julho, seguimos as espirais daquela falha, penetrando cerca de dez quilômetros na crosta terrestre, o que dava quase vinte e cinco quilômetros abaixo do nível do mar. Mas, no dia 13, perto do meio-dia, a falha assumiu uma inclinação bem mais suave, de cerca de quarenta e cinco graus, para o sudeste.

O caminho se tornou bastante tranquilo e perfeitamente monótono. Era difícil ser de outra forma. A viagem era comandada pelos incidentes da paisagem.

Finalmente, na quarta-feira, dia 15, estávamos a trinta e quatro quilômetros embaixo da terra e a quase duzentos e cinquenta quilômetros do Sneffels. Mesmo estando um pouco cansados, nossa saúde se mantinha num estado tranquilizador, e nosso kit de primeiros-socorros continuava intacto.

De hora em hora, meu tio anotava as indicações da bússola, do cronômetro, do manômetro e do termômetro, as quais publicaria no relato científico da viagem. Assim, conseguia ter uma noção clara da situação. Quando me explicou que estávamos a uma distância horizontal de quase duzentos e cinquenta quilômetros, soltei uma exclamação.

– O que você tem?

– Nada, só estou pensando.

– Em que, meu rapaz?

– Que, se seus cálculos estiverem certos, não estamos mais embaixo da Islândia.

– Você acha mesmo?

– Não é difícil confirmar.

Com o compasso, medi as distâncias no mapa.

– Se não me engano – eu disse –, já passamos do cabo Portland, e esses duzentos e cinquenta quilômetros para o sudeste nos levam para pleno mar.

– Pleno mar! – repetiu meu tio, esfregando as mãos.

– Sendo assim – exclamei –, o oceano se estende logo acima de nossas cabeças!

– Nada mais natural, Axel! Não há minas de carvão em Newcastle que se estendem sob as ondas?

O professor poderia achar essa situação bem simples, mas a ideia de andar sob a massa de água me preocupava mesmo assim. No entanto, não fazia diferença se estavam suspensas sobre nossas cabeças as planícies e montanhas da Islândia ou as ondas do Atlântico, desde que a estrutura granítica fosse sólida. Fora isso, acostumei-me bem rápido com essa ideia, pois o corredor, ora reto, ora sinuoso, com inclinações e desvios caprichosos, mas sempre seguindo ao sudeste e sempre penetrando mais fundo, nos levava rapidamente a grandes profundidades.

Quatro dias depois, na noite do sábado, 18 de julho, chegamos a uma espécie de gruta enorme. Meu tio pagou os três *rijksdaalder* semanais a Hans e ficou decidido que o dia seguinte seria de descanso.

CAPÍTULO 25

No domingo de manhã, acordei sem aquela preocupação habitual de partir imediatamente. E, embora estivéssemos no mais profundo dos abismos, isso não deixava de ser agradável. Aliás, já estávamos acostumados a essa existência de trogloditas. Eu não pensava muito no sol, nas estrelas, na lua, nas árvores, nas casas, nas cidades, em todas essas superficialidades terrestres que o ser sublunar transformou em necessidade. Na qualidade de fósseis, não nos importávamos com essas inúteis maravilhas.

A gruta formava uma sala ampla. Sobre seu solo granítico, o fiel riacho corria tranquilamente. A certa distância da sua fonte, a água já tinha a temperatura ambiente e podia ser bebida sem dificuldades.

Depois do almoço, o professor quis dedicar algumas horas para colocar em ordem suas anotações cotidianas.

– Primeiro – ele disse – vou fazer alguns cálculos para levantar nossa posição exata. Na volta, quero poder fazer um mapa da nossa viagem, um tipo de seção vertical do globo que traçará o perfil da nossa expedição.

– Isso vai ser bem interessante, meu tio. Mas suas observações vão ter um grau suficiente de precisão?

– Vão, sim. Anotei cuidadosamente os ângulos e declives. Tenho certeza de que não estou enganado. Primeiro, vamos ver onde estamos. Pegue a bússola e observe a direção que indica.

Olhei o instrumento e respondi, após um exame atento:

– Este-quarto-sudeste.

– Bom! – disse o professor, anotando a observação e fazendo alguns cálculos rápidos. – Concluo a partir disso que avançamos quatrocentos e dez quilômetros desde o nosso ponto de partida.

– Então, estamos viajando sob o Atlântico?

– Exatamente.

– E, talvez, neste momento uma tempestade esteja acontecendo lá em cima, e alguns navios sendo sacudidos sobre as nossas cabeças pelas ondas e por um furacão?

– É possível.

– E as baleias estão batendo com seu rabo nas muralhas da nossa prisão?

– Fique tranquilo, Axel, elas não vão conseguir estremecê-la. Mas vamos voltar aos cálculos. Estamos no sudeste, a quatrocentos e dez quilômetros da base do Sneffels, e, de acordo com minhas anotações anteriores, estimo que a profundidade atingida seja de setenta e sete quilômetros.

– Setenta e sete quilômetros? – indaguei.

– Sem dúvidas.

– Mas esse é o limite máximo atribuído pela ciência à espessura da crosta terrestre!

– Não nego.

– E, segundo a lei de aumento da temperatura, deveria haver aqui um calor de mil e quinhentos graus.

— Deveria, meu garoto.

— E todo esse granito não poderia se manter em estado sólido, e estaria em plena fusão.

— Você está vendo que isso não está acontecendo, e que os fatos, como sempre, vêm desmentir as teorias.

— Sou forçado a concordar, mas isso me espanta.

— O que o termômetro está indicando?

— Vinte e sete graus e seis décimos.

— Então faltam mil quatrocentos e setenta e quatro graus e quatro décimos para que os sábios tenham razão. Portanto, o aumento proporcional de temperatura está errado, e Humphry Davy estava certo. Então, tive razão em escutá-lo. O que você tem a me responder?

— Nada.

Na verdade, eu tinha muitas coisas a dizer. Não admitia a teoria de Davy de modo algum. Ainda acreditava no calor central, por mais que não sentisse seus efeitos. Na verdade, preferiria admitir que essa chaminé de um vulcão extinto, recoberta pelas lavas com um revestimento refratário, não deixava que a temperatura se propagasse por suas paredes.

Mas não me detive em procurar novos argumentos, limitei-me a aceitar a situação tal qual se apresentava.

— Meu tio – retomei a conversa –, considero exatos todos os seus cálculos, mas permita-me tirar deles uma conclusão rigorosa.

— Fale o que quiser, meu garoto.

— No ponto em que estamos, sob a latitude da Islândia, o raio terrestre seria de mais ou menos sete mil seiscentos e quarenta e dois quilômetros?

– Sete mil seiscentos e quarenta e dois quilômetros e setecentos e setenta e cinco metros.

– Digamos sete mil seiscentos e quarenta e três quilômetros para arredondar. Em uma viagem de sete mil seiscentos e quarenta e três quilômetros, nós fizemos apenas cinquenta e sete?

– É como você está dizendo.

– E isso ao preço de quatrocentos e dez quilômetros de diagonal?

– Perfeitamente.

– Em mais ou menos vinte dias?

– Em vinte dias.

– Ora, setenta e sete quilômetros são um centésimo do raio terrestre. Se continuarmos assim, levaremos então dois mil dias, ou aproximadamente cinco anos e meio para descer!

O professor não respondeu.

– Sem contar que, se uma vertical de setenta e sete quilômetros é alcançada por meio de uma horizontal de trezentos e oitenta e seis quilômetros, isso fará trinta e oito mil seiscentos e vinte e quatro quilômetros na direção sudeste, e, muito antes de atingir o centro da Terra, nós já teremos saído por um ponto da circunferência!

– Que se danem seus cálculos! – contestou meu tio com um gesto de cólera. – Que se danem suas hipóteses! Sobre o que elas se baseiam? Quem te disse que este corredor não vai dar diretamente no nosso objetivo? Aliás, eu tenho um predecessor. O que eu faço aqui outro já fez, e, onde ele foi bem-sucedido, eu também serei.

– Espero! Mas, enfim, tenho o direito...

– Você tem o direito de se calar quando disser bobagens assim, Axel!

Percebi que o terrível professor ameaçava reaparecer sob a pele do meu tio, e me dei por advertido.

– Agora, consulte o manômetro – ele continuou. – O que ele indica?

– Uma pressão considerável.

– Bom. Você vê que, ao descermos lentamente, habituando-nos pouco a pouco à densidade desta atmosfera, não sofremos de modo algum.

– De modo algum, exceto por algumas dores nos ouvidos.

– Isso não é nada. Você pode fazer esse mal-estar desaparecer colocando o ar exterior em comunicação rápida com o ar contido nos seus pulmões.

– Perfeitamente – respondi, decidido a não contrariar mais meu tio. – Existe até mesmo um verdadeiro prazer em se sentir mergulhado nesta atmosfera mais densa. O senhor percebeu com que intensidade o som se propaga aqui?

– Sem dúvidas. Aqui um surdo conseguiria escutar maravilhosamente.

– Mas essa densidade com certeza vai aumentar?

– Vai, segundo uma lei muito pouco determinada. É verdade que a intensidade da gravidade vai diminuir à medida que descermos. Você sabe que é na própria superfície da Terra que sua ação é sentida mais intensamente, e que no centro do globo os objetos não pesam mais.

– Sei. Mas, me diga: esse ar não vai acabar adquirindo a densidade da água?

– Sem dúvidas, sob uma pressão de setecentos e dez atmosferas.

– E mais embaixo?
– Mais embaixo essa densidade ainda vai aumentar.
– Como vamos descer, então?
– Ora, vamos colocar pedras nos bolsos.
– Realmente, meu tio, o senhor tem resposta para tudo!

Não ousei ir mais adiante no campo das hipóteses, pois novamente teria dado com alguma impossibilidade que o faria sobressaltar-se.

No entanto, era evidente que o ar, sob uma pressão que poderia atingir milhares de atmosferas, acabaria passando ao estado sólido. E então, admitindo-se que nossos corpos resistissem, seria preciso parar, apesar de todos os raciocínios do mundo.

Mas não usei esse argumento. Meu tio novamente teria me contestado com seu eterno Saknussemm, predecessor inútil, pois, tomando como verdadeira a viagem do sábio islandês, havia uma coisa simples a responder: no século XVI, nem o barômetro nem o manômetro tinham sido inventados. Então, como Saknussemm pôde determinar sua chegada no centro do globo?

Mas guardei essa objeção para mim, e esperei os acontecimentos.

O resto do dia se passou com cálculos e conversas. Concordei o tempo todo com o professor Lidenbrock, e invejava a perfeita indiferença de Hans, que, sem procurar os efeitos nem as causas, ia cegamente para onde o destino o levava.

CAPÍTULO 26

Preciso confessar que, até aquele ponto, as coisas estavam indo bem, e eu não tinha motivos para reclamar. Se a média das "dificuldades" não aumentasse, certamente alcançaríamos nosso objetivo. E que glória, então! Cheguei a ter esses pensamentos à la Lidenbrock. De verdade. Seria por causa do estranho meio onde eu estava? Talvez.

Durante alguns dias, declives mais rápidos, alguns até mesmo de uma assustadora verticalidade, conduziram-nos profundamente ao maciço interno. Em certas jornadas, avançávamos de sete a dez quilômetros em direção ao centro. Eram descidas perigosas, durante as quais a destreza de Hans e seu maravilhoso sangue-frio nos foram muito úteis. Esse islandês impassível dedicava-se com uma incompreensível desenvoltura, e, graças a ele, vencemos diversas enrascadas das quais não teríamos como escapar sozinhos.

Sua mudez aumentava a cada dia. Acredito que ela até mesmo nos contagiava. Os objetos exteriores têm uma ação real sobre o cérebro. Quem se isola entre quatro paredes acaba perdendo a capacidade de associar ideias a palavras. Quantos prisioneiros se tornaram imbecis e até mesmo loucos na falta de exercitar as faculdades do pensamento!

Durante as duas semanas que se seguiram à nossa última conversa, não aconteceu nenhum incidente digno de ser relatado. Só consigo encontrar em minha memória – e não sem razão – um único acontecimento de extrema gravidade. Seria impossível esquecer o menor detalhe.

No dia 7 de agosto, nossas descidas sucessivas haviam nos levado a uma profundidade de cento e quarenta e cinco quilômetros. Isso significa que havia sobre nossas cabeças cento e quarenta e cinco quilômetros de rochas, oceanos, continentes e cidades. Devíamos estar, então, a quase um quilômetro da Islândia.

Naquele dia, o túnel seguia um plano pouco inclinado.

Eu seguia na frente. Meu tio levava um dos dois aparelhos de Ruhmkorff, e eu o outro, enquanto analisava as camadas de granito.

De repente, ao me virar, percebi que estava sozinho.

"Bom", pensei, "andei muito rápido, ou então Hans e meu tio pararam no caminho. Vamos lá, preciso me juntar a eles. Felizmente a trilha não sobe demais."

Voltei e andei durante quinze minutos. Observei. Ninguém. Chamei. Nenhuma resposta. Minha voz se perdeu em meio aos cavernosos ecos que de repente tinham despertado.

Comecei a ficar inquieto. Um arrepio percorreu todo o meu corpo.

– Um pouco de calma – disse em voz alta. – Tenho certeza de que vou encontrar meus companheiros. Não existem duas trilhas! Ora, se eu estava na frente, então voltemos!

Subi durante cerca de meia hora. Tentava escutar se algum chamado não me era dirigido. Nessa atmosfera tão densa, ele poderia chegar até mim de longe. Um silêncio extraordinário reinava na imensa galeria.

Parei. Não conseguia acreditar no meu isolamento. Queria estar desaparecido, não perdido. Alguém desaparecido pode ser encontrado.

– Vejamos – repeti –, como só existe um caminho, e como eles o seguem, eu certamente vou encontrá-los. Só preciso subir mais. A menos que, não me vendo e esquecendo que eu os precedia, eles tenham pensado em voltar atrás. Bom, mas, mesmo nesse caso, se me apressar, vou encontrá-los. É óbvio!

Repeti essas últimas palavras sem convicção. Aliás, levei um longo tempo para associar essas ideias tão simples e reuni-las na forma de um raciocínio.

E então uma dúvida me acometeu. Eu estava realmente na frente? Com certeza. Hans me seguia, à frente do meu tio. Ele até havia parado alguns instantes para prender novamente sua bagagem nas costas. Esse detalhe me vinha à mente. Foi nesse exato momento que provavelmente continuei meu caminho.

"Aliás", pensei, "tenho um meio seguro para não me perder, um fio para me guiar neste labirinto, e que não poderia falhar: meu riacho fiel. Só preciso subir seu curso e necessariamente vou reencontrar o rastro dos meus companheiros."

Esse raciocínio me reanimou, e decidi retomar meu caminho sem perder mais um minuto sequer.

Como agradeci, então, a precaução do meu tio quando impediu o caçador de fechar a abertura na parede de granito! Desse modo, essa bendita fonte, depois de nos ter saciado durante a marcha, ia me guiar pelas sinuosidades da crosta terrestre.

    Antes de subir, pensei que uma lavagem me faria bem. Abaixei-me, assim, para mergulhar o rosto nas águas do Hans Bach. Imaginem meu espanto! Eu andava sobre um granito seco e acidentado! O riacho não corria mais aos meus pés.

CAPÍTULO 27

Não consigo retratar meu desespero. Nenhuma palavra das línguas humanas representaria meus sentimentos. Eu estava enterrado vivo, com a perspectiva de morrer nas torturas da fome e da sede.

Maquinalmente, passei as mãos ardentes sobre o chão. Como essa rocha me pareceu seca!

Mas como é que eu tinha abandonado o curso do riacho? Porque ele realmente não estava mais lá! Então, compreendi a razão desse estranho silêncio, quando tentei escutar, pela última vez, se algum chamado dos meus companheiros não chegava aos meus ouvidos. Assim, no momento em que meu primeiro passo avançou nessa trilha imprudente, não percebi a ausência do riacho. É evidente que, naquele momento, uma bifurcação da galeria tinha se aberto diante de mim, enquanto o Hans Bach, obedecendo aos caprichos de outro declive, ia-se com meus companheiros em direção a profundezas desconhecidas.

Como voltar? Não havia pegadas. Meu pé não deixava nenhuma marca sobre o granito. Eu quebrava a cabeça procurando uma solução para esse problema insolúvel. Minha situação se resumia a uma única palavra: perdido!

Sim! Perdido em uma profundidade que me parecia incomensurável! Esses cento e quarenta e cinco quilômetros de crosta terrestre pesavam sobre meus ombros com um peso assustador! Eu me sentia esmagado.

Tentei conduzir meus pensamentos às coisas da terra e, se consegui fazer isso, foi com muita dificuldade. Hamburgo, a casa da Königstrasse, minha pobre Grauben, todo esse mundo sob o qual me perdia passou rapidamente diante da minha memória amedrontada. Revi, numa vívida alucinação, os incidentes da viagem, a travessia, a Islândia, o Sr. Fridriksson, o Sneffels! Disse para mim mesmo que, na minha situação, caso ainda conservasse uma sombra de esperança, isso seria um sinal de loucura, e que era melhor entrar em desespero logo!

De fato, qual poder humano poderia me levar à superfície do globo e entreabrir essas abóbadas enormes suspensas sobre a minha cabeça? Quem poderia me levar ao caminho de volta e me reunir com os meus companheiros?

– Ah! Meu tio! – gritei com a força do desespero.

Foi a única palavra de reprovação que me veio aos lábios, pois compreendi que o pobre homem também devia estar sofrendo ao me procurar.

Assim, quando me vi apartado de qualquer socorro humano, incapaz de tentar qualquer coisa para me salvar, pensei no socorro dos céus. As lembranças de minha infância e aquelas de minha mãe, que só conheci muito pequeno, reapareceram em minha memória. Recorri às orações, ainda que não tivesse muito o direito de ser escutado por Deus, a quem eu me dirigia tão tardiamente. Implorei a ele com fervor.

Dirigir-me à Providência me deixou um pouco mais calmo, e, então, pude concentrar todos os esforços da minha inteligência naquela situação.

Eu tinha víveres suficientes para três dias e meu cantil estava cheio. Porém, não conseguia mais ficar sozinho por muito tempo. Mas tinha de subir ou descer?

Subir, é claro! Sempre subir!

Era assim que provavelmente chegaria ao ponto em que tinha abandonado a fonte, à funesta bifurcação. Lá, quando eu tivesse o riacho a meus pés, poderia alcançar novamente o pico do Sneffels.

Como não tinha pensado nisso antes? Era evidente que, assim, tinha uma chance de salvação. O mais urgente, então, era reencontrar o curso do Hans Bach.

Levantei-me e tornei a subir pela galeria, apoiando-me em meu bastão de caminhada. O declive era bem inclinado. Eu caminhava esperançoso e sem dificuldades, como um homem que não tem escolhas quanto ao caminho a seguir.

Durante cerca de meia hora, nenhum obstáculo atrapalhou meus passos. Eu tentava reconhecer o caminho pela forma do túnel, pelas saliências de algumas rochas, pela disposição das fendas. Mas nenhum sinal em particular me chamava a atenção, e logo percebi que essa galeria não poderia me levar à bifurcação: era sem saída. Bati contra uma parede impenetrável e caí em cima das pedras.

Eu não saberia falar do pânico, do desespero que se apoderou de mim! Minha última esperança acabava de ser quebrada contra essa muralha de granito.

Perdido nesse labirinto, cujas sinuosidades se cruzavam em todos os sentidos, eu não tinha mais de tentar uma fuga impossível. Eu morreria na mais assustadora das mortes! E me veio ao pensamento – coisa estranha! – que, se um dia encontrassem meu corpo fossilizado, o seu descobrimento a cento e quarenta e cinco quilômetros nas entranhas da Terra levantaria sérias questões científicas!

Quis falar em voz alta, mas apenas alguns gemidos roucos passaram por meus lábios ressecados. Eu ofegava.

Em meio a essas angústias, um novo terror veio dominar meu espírito. Minha lâmpada tinha amassado ao cair. Eu não tinha como consertá-la. Sua luz enfraquecia, e logo me faltaria!

Vi a corrente de luz esvanecer-se no filamento do aparelho. Uma procissão de sombras movediças desfilou sobre as paredes escurecidas. Eu não ousava abaixar as pálpebras, com medo de perder o menor átomo dessa claridade fugidia! A cada instante, parecia-me que ela ia desaparecer, e a escuridão me invadir.

Finalmente, um último clarão cintilou na lâmpada. Eu o segui, aspirei-o com meu olhar. Concentrei nele todo o poder dos meus olhos, como se fosse a última sensação de luz que eles pudessem sentir, e então fiquei mergulhado nas imensas trevas.

Que grito horrível me escapou! Sobre a terra, em meio às noites mais profundas, a luz nunca abandona completamente suas funções. Ela fica difusa, tênue, mas a retina acaba percebendo o pouco que resta dela. Aqui, nada. A sombra absoluta fazia de mim um cego em toda a acepção da palavra.

E então perdi a cabeça. Levantei-me e, com os braços à frente, tentei tatear de modo doloroso. Comecei a fugir, precipitando meus passos ao acaso nesse inextricável labirinto, sempre descendo, correndo pela crosta terrestre como um habitante das fendas subterrâneas, chamando, gritando, berrando, logo esmagado contra as saliências das pedras, caindo e me levantando ensanguentado, tentando beber esse sangue que me inundava o rosto, e sempre desejando que alguma muralha imprevista viesse oferecer à minha cabeça um obstáculo contra o qual ela se arrebentasse.

Para onde me levou essa corrida insensata? Nunca saberei. Depois de muitas horas, sem dúvida esgotado, caí como uma massa inerte ao lado da parede e perdi todo sentimento de existência.

CAPÍTULO 28

Quando voltei a mim, meu rosto estava molhado, mas molhado pelas lágrimas. Não saberia dizer quanto tempo durou aquele estado de inconsciência. Não tinha mais nenhum modo de me orientar no tempo. Nunca houve uma solidão tão grande quanto a minha, nunca houve um abandono tão absoluto!

Depois da minha queda, tinha perdido muito sangue e me sentia encharcado por ele. Ah, como lamentava não ter morrido e que "isso" ainda precisasse acontecer! Eu não queria mais pensar. Afugentei qualquer pensamento e, vencido pela dor, rolei para perto da parede oposta.

Já sentia a perda de consciência me dominar e, junto com ela, o aniquilamento supremo, quando um barulho violento veio se chocar contra meus ouvidos. Parecia o rufar prolongado de um trovão. Escutei as ondas sonoras perderem-se pouco a pouco nas profundezas longínquas do abismo.

De onde vinha esse barulho? Sem dúvida de algum fenômeno que acontecia no seio do massivo terrestre. A explosão de um gás ou a queda de alguma sólida estrutura do globo.

Ainda tentava escutar. Quis saber se esse barulho se repetiria. Quinze minutos se passaram. O silêncio reinava na galeria. Eu não ouvia mais sequer os batimentos do meu coração.

De repente, minha orelha, encostada por acaso na muralha, acreditou ter captado palavras vagas, incompreensíveis, longínquas. Estremeci. "É uma alucinação", pensei.

Mas não era. Escutando mais atentamente, ouvi de fato o murmúrio de uma voz. Mas a minha fraqueza não me permitia compreender o que era dito. No entanto, alguém estava falando. Eu tinha certeza disso.

Por um instante, tive medo de que essas palavras fossem as minhas trazidas de volta pelo eco. Será que eu tinha gritado sem perceber? Fechei fortemente meus lábios e encostei mais uma vez a orelha na parede.

"Sim, com certeza, alguém está falando! Alguém está falando!"

Margeando a parede, dirigi-me alguns centímetros mais longe e pude até mesmo ouvir mais claramente. Consegui captar algumas palavras incertas, bizarras, incompreensíveis. Elas me chegavam como dizeres pronunciados em voz baixa, murmurados, por assim dizer. A palavra *"förlorad"* foi repetida diversas vezes com um tom de sofrimento.

O que ela significava? Quem a pronunciava? Meu tio ou Hans, era evidente. Mas, se eu os ouvia, então eles podiam me ouvir.

– Socorro! – gritei com todas as minhas forças. – Socorro!

Escutei, procurei nas sombras uma resposta, um grito, um suspiro. Nada podia ser ouvido. Alguns minutos se passaram. Todo um mundo de ideias eclodia em minha mente. Pensei que minha voz enfraquecida talvez não pudesse chegar aos meus companheiros. "Porque são eles", eu repetia. "Que outros homens estariam confinados a cento e quarenta e cinco metros debaixo da terra?"

Tornei a escutar. Passeando minha orelha sobre a parede, encontrei um ponto matemático onde as vozes pareciam atingir sua intensidade máxima. A palavra *"förlorad"* veio outra vez ao meu ouvido, e, depois, aquele rufar de trovão que tinha me tirado de meu torpor.

"Não", disse, "não é através do massivo que essas vozes são ouvidas. A parede é feita de granito, ela não permitiria nem mesmo a mais alta explosão atravessá-la! Esse barulho chega pela própria galeria! Deve haver aqui um efeito bem particular de acústica!"

Escutei de novo, e, dessa vez, sim! Dessa vez, ouvi claramente meu nome lançado através do espaço.

Era meu tio que o pronunciava? Ele falava com o guia, e a palavra *"förlorad"* era uma palavra dinamarquesa!

E então entendi tudo. Para ser escutado, eu precisava falar exatamente ao longo dessa muralha, que serviria para conduzir minha voz como o fio de ferro conduz a eletricidade.

Mas não tinha tempo a perder. Era só meus companheiros se afastarem alguns passos para o fenômeno acústico ser destruído. Aproximei-me então da muralha e pronunciei estas palavras o mais claramente possível:

– Tio Lidenbrock!

Esperei na mais vívida ansiedade. O som não tem uma rapidez extrema. A densidade das camadas de ar não aumenta nem mesmo sua velocidade, apenas sua intensidade. Alguns segundos – séculos – se passaram e, finalmente, estas palavras chegaram aos meus ouvidos:

– *Axel, Axel! É você?*

– *Sou eu! Sou eu!* – respondi.

– *Meu pobre menino, onde você está?*

— Perdido na mais profunda escuridão!
— Mas e a sua lâmpada?
— Apagou.
— E o riacho?
— Desapareceu.
— Axel, meu pobre Axel, retome a coragem!
— Espere um pouco, estou esgotado. Não tenho mais forças para falar. Mas fale comigo!
— Coragem! – continuou meu tio. – Não fale, escute. Nós o procuramos subindo e descendo a galeria. Impossível encontrá-lo. Ah! Chorei tanto por você, meu menino! Enfim, supondo que você ainda estava no curso do Hans Bach, tornamos a descer dando tiros de fuzil. E agora, embora nossas vozes possam se reunir por puro efeito de acústica, nossas mãos não podem se tocar. Mas não se desespere, Axel! Já é alguma coisa nos escutarmos!

Durante esse tempo, refleti. Uma certa esperança, ainda vaga, voltava ao meu coração. Antes de mais nada, era importante saber de uma coisa. Aproximei então meus lábios da muralha e disse:

— Meu tio?
— Meu filho? – foi a resposta depois de alguns instantes.
— Primeiro é preciso saber qual distância nos separa.
— Isso é fácil.
— O senhor está com o seu cronômetro?
— Estou.
— Bem, pegue-o. Pronuncie meu nome e tome nota do segundo exato em que o senhor falar. Eu o repetirei e o senhor também vai observar o momento preciso em que a minha resposta chegar.

– Ótimo! E a metade do tempo compreendido entre a minha pergunta e a sua resposta indicará o quanto minha voz levou para chegar até você.

– Isso mesmo, meu tio.

– Você está pronto?

– Estou.

– Bom, preste atenção, vou dizer o seu nome.

Encostei minha orelha na parede e, assim que a palavra "Axel" chegou até mim, respondi "Axel" imediatamente, e depois esperei.

– Quarenta segundos – disse então meu tio. – Passaram-se quarenta segundos entre as duas palavras, portanto, o som leva vinte segundos para subir. Ora, considerando-se trezentos e dez metros por segundo, isto dá seis mil e duzentos metros, ou seis quilômetros e duzentos metros.

– Seis quilômetros! – murmurei.

– Bom, não é nada impossível, Axel!

– Mas preciso subir ou descer?

– Descer, e eis o porquê: nós chegamos em um espaço amplo, no qual desemboca um grande número de galerias. Aquela que você seguiu só pode trazê-lo até aqui, pois parece que todas essas fendas, essas fraturas do globo irradiam em torno da imensa caverna onde estamos. Levante-se então e retome seu caminho. Ande, arraste-se se for preciso, escorregue nos declives rápidos e você vai encontrar nossos braços abertos para recebê-lo ao fim do caminho. Em frente, meu menino, em frente!

Essas palavras me reanimaram.

– *Adeus, meu tio! – exclamei. – Estou indo. Nossas vozes não poderão mais se comunicar quando eu tiver deixado este lugar. Então, adeus!*

– *Tchau, Axel! Tchau!*

Essas foram as últimas palavras que escutei. A surpreendente conversa através da massa terrestre, em que estávamos a mais de seis quilômetros de distância, terminou com essas palavras de esperança. Fiz uma oração de reconhecimento a Deus, pois ele tinha me conduzido através dessa imensidão sombria ao único ponto, talvez, em que a voz dos meus companheiros poderia chegar até mim.

Esse efeito bem surpreendente de acústica era facilmente explicável apenas pelas leis da física. Provinha da forma do corredor e da condutibilidade da rocha. Há vários exemplos dessa propagação de sons imperceptíveis nos espaços intermediários. Lembrei-me de que esse fenômeno havia sido observado em vários lugares, como na galeria interna da Catedral de São Paulo, em Londres, e principalmente em curiosas cavernas da Sicília, naquelas latomias situadas perto de Siracusa, dentre as quais a mais maravilhosa é conhecida pelo nome de Orelha de Dionísio.

Essas lembranças vieram-me à mente, e percebi claramente que, como a voz do meu tio chegava até mim, nenhum obstáculo existia entre nós. Seguindo o caminho do som, eu deveria logicamente chegar até ele, se as forças não me traíssem no meio do caminho.

Então me levantei. Arrastava-me mais do que caminhava. O declive era bem rápido, e me deixei escorregar.

Logo a velocidade da minha descida aumentou numa proporção assustadora, e ameaçava transformar-se em uma queda. Eu não tinha mais forças para parar.

De repente, o chão faltou sob os meus pés. Senti-me rolar e bater sobre as asperezas de uma galeria vertical, um verdadeiro poço. Minha cabeça bateu em uma pedra pontuda, e perdi a consciência.

CAPÍTULO 29

Quando voltei a mim, estava deitado sobre cobertores grossos, na penumbra. Meu tio estava cuidando de mim, espreitando o resto de vida em meu rosto. No meu primeiro suspiro, pegou minha mão. Quando abri os olhos, soltou um grito de alegria.

– Ele está vivo! Está vivo! – exclamou.

– Sim – respondi, com a voz fraca.

– Meu menino – disse meu tio, apertando-me contra o peito –, você está salvo!

Fiquei sinceramente tocado pelo tom com que ele pronunciou essas palavras, e ainda mais pelos cuidados que as acompanharam. Era preciso uma provação dessas para tirar tamanha efusão de sentimento dele.

Nesse momento, chegou Hans. Viu minha mão na de meu tio. Ouso dizer que seus olhos expressaram uma forte alegria.

– *God dag* – ele disse.

– Bom dia, Hans, bom dia – murmurei. – E agora, meu tio, onde estamos?

– Amanhã, Axel, amanhã. Hoje você ainda está fraco demais. Enfaixei sua cabeça com tantas compressas que é melhor não se mexer. Dorme agora, meu rapaz, e amanhã você vai saber de tudo.

– Mas, pelo menos – continuei –, me diga que horas são, que dia é hoje?

– São vinte e três horas. Hoje é domingo, 9 de agosto, e não permito que me faça mais perguntas até o dia 10 deste mês.

Era verdade que eu estava bem fraco. Meus olhos se fecharam contra minha vontade. Eu precisava de uma boa noite de sono. Deixei-me levar pelo torpor enquanto pensava que meu isolamento havia durado quatro longos dias.

Quando acordei no dia seguinte, olhei ao redor. Minha pequena cama, feita com todos os cobertores da viagem, estava instalada dentro de uma gruta agradável, ornamentada por estalagmites magníficas, cujo chão era recoberto por uma areia fina. A penumbra reinava. Nenhuma tocha, nenhuma lâmpada estava acesa, e, no entanto, certos clarões inexplicáveis vinham de fora penetrando por uma abertura estreita da gruta. Ouvi também um murmúrio vago e indefinido, parecido com os das ondas que quebram na praia e o sopro de algumas brisas.

Não sabia se estava acordado, se ainda estava sonhando ou se era apenas a minha cabeça, rachada na queda, que ouvia barulhos puramente imaginários. No entanto, meus olhos e ouvidos não tinham como estar enganados.

"É um raio de sol", pensei, "esgueirando-se por entre a fenda do rochedo! É o murmúrio das ondas! O sopro da brisa! Estou enganado ou voltamos à superfície? Meu tio desistiu da expedição ou ela foi concluída com sucesso?"

Estava me fazendo essas perguntas sem resposta quando o professor entrou.

— Bom dia, Axel! — ele exclamou alegremente. — Aposto que está se sentindo melhor.

— Sim, estou — respondi, levantando-me das cobertas.

— Imaginei, porque teve um sono tranquilo. Eu e Hans nos revezamos para cuidar de você e vimos sua melhora extraordinária.

— Realmente, estou me sentindo recuperado, e, para provar, aceito o café da manhã que estou ansioso para me servirem!

— Você vai comer, meu rapaz. A febre diminuiu. Hans passou sei lá que unguento misterioso da Islândia nos seus ferimentos, que cicatrizaram maravilhosamente bem. Que homem incrível esse nosso caçador!

Enquanto falava, meu tio preparava alguns alimentos, que devorei apesar de suas recomendações. Ao mesmo tempo, enchia-o de perguntas, às quais ele respondia prontamente.

Entendi então que minha queda providencial tinha me levado ao fim de uma galeria quase perpendicular. Como tinha chegado no meio de uma torrente de pedras, das quais a menor bastaria para me esmagar, só nos restava concluir que uma parte do maciço tinha deslizado junto comigo. Aquele veículo assustador tinha me levado assim até os braços do meu tio, onde caí sangrando, inconsciente.

— Realmente — ele me disse —, é espantoso que não tenha morrido umas mil vezes. Mas, por Deus! Não vamos nos separar mais, porque corremos o risco de nunca mais nos rever.

— Não vamos nos separar mais! — A viagem não tinha terminado então? Arregalei os olhos com espanto, o que gerou a seguinte pergunta na hora:

— O que foi, Axel?

– Tenho uma pergunta a fazer... O senhor disse que estou são e salvo?

– Creio que sim.

– Estou com todos os membros intactos?

– Com toda certeza.

– E minha cabeça?

– Tirando algumas concussões, continua no lugar, em cima dos seus ombros.

– Mas tenho a impressão de que não estou muito bem da cabeça.

– Não está bem da cabeça?

– Pois é. Não voltamos à superfície da Terra?

– É claro que não!

– Então, só posso ter enlouquecido, porque vi a luz do dia, ouvi o barulho do vento soprando e de ondas se quebrando!

– Ah, é só isso?

– O senhor pode me explicar?

– Não vou explicar coisa nenhuma, porque é inexplicável. Mas você vai ver com seus próprios olhos e entender que a ciência geológica ainda tem muito a descobrir.

– Então, vamos sair! – exclamei, levantando-me bruscamente.

– Não, Axel, de jeito nenhum! O ar puro pode lhe fazer mal.

– Ar puro?

– Sim, o vento está muito forte. Não quero que se exponha dessa forma.

– Mas juro que estou ótimo.

– Um pouquinho de paciência, meu rapaz. Uma recaída pode nos causar problemas, e não podemos perder tempo, porque a travessia pode ser longa.

– Travessia?

– Sim, descanse hoje de novo e amanhã vamos embarcar.

– Embarcar?!

Essa última palavra me assustou.

Como assim? Embarcar? Por acaso tínhamos um rio, lago ou mar à nossa disposição? Havia uma embarcação ancorada em algum porto interno?

Minha curiosidade foi atiçada ao máximo. Meu tio tentou me conter, em vão. Quando viu que minha impaciência me faria mais mal do que a satisfação dos meus desejos, cedeu.

Eu me vesti rapidamente. Por precaução, enrolei-me numa das cobertas e saí da gruta.

CAPÍTULO 30

Inicialmente, não vi nada. Meus olhos, desacostumados à luz, fecharam-se bruscamente. Quando consegui reabri-los, fiquei mais atônito que maravilhado.

– O mar! – exclamei.

– Sim – afirmou meu tio –, o mar Lidenbrock. Gosto de pensar que nenhum navegador disputará comigo a honra de tê-lo descoberto e o direito de nomeá-lo com meu nome!

Uma vasta extensão de água – o começo de um lago ou de um oceano – estendia-se para além dos limites da visão. A orla, amplamente entalhada, oferecia às últimas ondulações das águas uma areia fina, dourada e cravejada de pequenas conchas nas quais viveram os primeiros seres da criação. As ondas se desmanchavam com esse murmúrio sonoro, próprio de ambientes imensos e fechados. Uma leve espuma voava ao sopro de um vento ameno, e algumas gotículas da maresia chegavam ao meu rosto. Sobre essa orla ligeiramente inclinada, a quase duzentos metros do limite das ondas, vinham morrer as encostas de rochedos enormes que subiam afunilando-se até alturas incomensuráveis. Alguns, cortando a orla com suas arestas agudas, formavam cabos e promontórios roídos pelos dentes da ressaca. Mais ao longe, o olho seguia a massa claramente perfilada dos rochedos sobre o fundo enevoado do horizonte.

Era um verdadeiro oceano, com o contorno caprichoso das orlas terrestres, mas deserto e com um aspecto assustadoramente selvagem.

Se meu olhar era capaz de passear ao longo desse mar é porque uma luz especial clareava seus mínimos detalhes. Não era a luz do sol, com seus feixes brilhantes e a irradiação esplêndida de seus raios, nem o clarão pálido e vago do astro da noite, que não é senão um reflexo sem calor. Não. O poder irradiador dessa luz, sua difusão tremeluzente, sua brancura clara e seca, a baixa elevação de sua temperatura e seu brilho, de fato maior do que o da lua, indicavam com certeza uma origem puramente elétrica. Era como uma aurora boreal, um fenômeno cósmico contínuo que preenchia aquela caverna capaz de conter um oceano.

A abóbada suspensa acima de minha cabeça – o céu, digamos – parecia feita de grandes nuvens, vapores móveis e mutáveis que, por causa do efeito da condensação, em alguns dias deviam se transformar em chuvas torrenciais. Eu tendia a achar que, sob uma pressão tão forte da atmosfera, a evaporação da água não poderia acontecer. No entanto, por uma razão física que me escapava, havia grandes nuvens espalhadas pelo ar. Fazia então um "dia bonito"! As tramas elétricas produziam surpreendentes jogos de luz sobre as nuvens bem elevadas; sombras vivas se desenhavam sob suas volutas e, com frequência, entre duas camadas espaçadas, um raio deslizava até nós com uma notável intensidade. Mas não era o sol, pois faltava calor à sua luz. O efeito disso era triste e, sobretudo, melancólico. No lugar de um firmamento brilhante de estrelas, eu sentia acima dessas nuvens uma abóbada de granito que me esmagava com todo o seu peso, e esse espaço, por maior que fosse, não era suficiente para a deambulação do menos ambicioso dos satélites.

Lembrei-me então daquela teoria de um capitão inglês que comparava a terra a uma ampla esfera oca, dentro da qual o ar se mantinha luminoso por conta de sua pressão, enquanto dois astros, Plutão e Proserpina, desenhavam ali suas misteriosas órbitas. Será que ele tinha razão?

Estávamos realmente presos numa enorme cavidade. Não podíamos mensurar sua largura, pois a orla estendia-se a perder de vista, e nem seu comprimento, pois o olhar logo era bloqueado por uma linha do horizonte meio indefinida. Quanto à sua altura, devia ultrapassar vários quilômetros. Onde essa abóbada se encontrava com as encostas de granito? O olho era incapaz de identificar. Mas havia uma nuvem suspensa na atmosfera cuja elevação estimávamos em quase quatro mil metros, altitude superior à dos vapores terrestres e decorrente, sem dúvidas, da densidade considerável do ar.

A palavra "caverna" evidentemente não exprime meu pensamento nem ilustra esse imenso lugar. Mas as palavras da linguagem humana não são suficientes para quem se aventura nos abismos do globo.

Aliás, eu nem sabia que efeito geológico poderia explicar a existência de tal cavidade. O resfriamento do globo poderia tê-la produzido? Eu conhecia bem, pelas narrativas de viajantes, algumas cavernas célebres, mas nenhuma apresentava aquelas dimensões.

Embora a Caverna dos Guácharos, na Colômbia, visitada por Humboldt, não tenha revelado o segredo de sua profundidade ao cientista, que a percorreu num intervalo de setecentos e cinquenta metros, não é provável que ela se estenda muito além disso. A imensa caverna Mammoth, em Kentucky, tem de fato proporções gigantescas, pois sua abóbada se eleva cento e cinquenta metros acima de um lago insondável, e viajantes a percorreram ao longo de quase cinquenta quilômetros sem encontrar seu fim. Mas o que eram essas cavidades perto daquela que eu admirava então, com seu céu de vapores, suas irradiações elétricas e um vasto mar contido em seus flancos? Minha imaginação sentia-se impotente diante daquela imensidão.

Eu contemplava em silêncio todas aquelas maravilhas. Faltavam-me palavras para explicar minhas sensações. Eu acreditava estar vendo, em algum planeta longínquo, como Urano ou Netuno, fenômenos dos quais minha natureza terrestre não tinha consciência. Eram necessárias palavras novas para sensações novas, mas minha imaginação não as fornecia. Eu observava, pensava, admirava com uma estupefação misturada a certo temor.

O imprevisto desse espetáculo havia restaurado as cores saudáveis do meu rosto. Eu estava me tratando com o deslumbramento e possibilitando minha cura com essa nova terapia. Aliás, a vivacidade de um ar muito denso me reanimava, fornecendo mais oxigênio aos meus pulmões.

É fácil imaginar que, após um aprisionamento de quarenta e sete dias numa galeria estreita, havia um prazer infinito em aspirar essa brisa carregada de úmidas emanações salinas.

Assim, eu não tinha razões para lamentar ter deixado minha gruta sombria. Meu tio, já acostumado àquelas maravilhas, não se admirava mais.

– Você acha que tem forças para passear um pouco? – ele me perguntou.

– Sim, claro – respondi –, nada poderia ser mais agradável!

– Bom, então segure meu braço, Axel, e sigamos os contornos da costa.

Aceitei vivamente, e começamos a margear esse novo oceano. À esquerda, rochedos íngremes, amontoados uns sobre os outros, formavam um aglomerado titânico cuja visão era assombrosa. Sobre seus flancos, desenrolavam-se numerosas cascadas, que formavam lençóis de água límpidos e sonoros. Alguns vapores leves, saltando de uma pedra a outra, indicavam o lugar das fontes quentes. Riachos corriam devagar em direção à bacia comum, procurando pelos declives uma oportunidade para murmurar mais agradavelmente.

Dentre esses riachos, reconheci nosso fiel companheiro de caminhada, o Hans Bach, que acabara de se perder tranquilamente no mar, como se nunca tivesse feito outra coisa desde o começo dos tempos.

– Ele vai nos fazer falta agora – eu disse, com um suspiro.

– *Bah!* – respondeu o professor. – Tanto faz ele ou qualquer outro!

Achei a resposta um pouco ingrata.

Mas, nesse momento, minha atenção foi desviada por um espetáculo inesperado. A quinhentos passos, detrás de um promontório, uma floresta alta, frondosa e espessa apareceu diante de nossos olhos. Era feita de árvores de altura média, talhadas como guarda-sóis regulares, de contornos claros e geométricos. As correntes da atmosfera pareciam não ter efeito sobre suas folhagens, e, em meio às agitações, permaneciam imóveis como um maciço de cedros petrificados.

Apertei o passo. Não conseguia nomear aquelas essências singulares. Elas não faziam parte das 200 mil espécies vegetais conhecidas até então. Seria preciso lhes conceder um lugar especial na flora das vegetações lacustres? Não. Quando alcançamos a sua sombra, minha surpresa só não foi maior que a admiração.

Na verdade, eu estava na presença de produtos da terra, mas talhados em um padrão gigantesco. Meu tio os chamou imediatamente pelo nome.

– É apenas uma floresta de cogumelos – ele disse.

E não estava enganado, a julgar pelo desenvolvimento dessas plantas caras nos meios quentes e úmidos. Eu sabia que o *Lycoperdon giganteum* atinge, segundo Bulliard, quase três metros de circunferência. Mas naquele caso tratava-se de cogumelos brancos, de uma altura de nove a doze metros e com um chapéu de diâmetro parecido. Havia milhares deles. A luz não conseguia atravessar sua sombra espessa, e uma escuridão completa reinava sob aquelas cúpulas justapostas como os telhados redondos de uma vila africana.

No entanto, quis ir mais adiante. Um frio mortal descia daquelas abóbadas carnudas. Durante cerca de meia hora vagamos em meio àquelas trevas úmidas, e foi com um verdadeiro sentimento de bem-estar que reencontrei a orla do mar.

Mas a vegetação daquela região subterrânea não se limitava aos cogumelos. Mais ao longe, elevavam-se em grupos várias outras árvores de folhagem descolorida. Era fácil reconhecê-las: arbustos humildes da terra com dimensões fenomenais, licopódios de trinta metros de altura; sigilárias gigantes; samambaias arbóreas, grandes como os pinheiros das latitudes altas; *lepidodendrons* de hastes cilíndricas bifurcadas, terminadas em folhas longas e eriçadas de pelos ásperos como monstruosas plantas carnudas.

– Impressionante, magnífico, esplêndido! – exclamou meu tio. – Eis aqui toda a flora da segunda época do mundo, a de transição. Eis aqui essas humildes plantas dos nossos jardins, que nos primeiros séculos do globo eram árvores! Olhe, Axel, admire! Nenhum botânico jamais esteve em festa parecida!

– O senhor tem razão, meu tio. A Providência aparentemente quis conservar nesta estufa imensa essas plantas antediluvianas que a sagacidade dos sábios reconstruiu com tanta felicidade.

– Você está certo, meu garoto, é uma estufa. Mas você estaria ainda mais certo se acrescentasse que isto talvez fosse uma espécie de zoológico.

– Zoológico?

– Sim, sem dúvidas. Veja essa poeira em que pisamos, essas ossadas dispersas pelo chão.

– Ossadas! – exclamei. – Sim, ossadas de animais antediluvianos.

Precipitei-me sobre esses vestígios seculares feitos de uma substância mineral indestrutível. Sem hesitar, dava nomes a esses ossos gigantescos, que pareciam troncos de árvores secas.

– Este aqui é o maxilar inferior do mastodonte – eu dizia. – Estes aqui são os molares do dinotério. Este aqui é um fêmur que só pode ter pertencido ao maior desses animais, o megatério. Sim, é de fato um zoológico, pois essas ossadas com certeza não foram trazidas para cá por um cataclismo. Os animais aos quais pertenceram viveram às margens deste mar subterrâneo, à sombra dessas plantas arbóreas. Olhe, estou vendo esqueletos inteiros! E, no entanto...

– No entanto? – indagou meu tio.

– Não entendo a presença desses quadrúpedes nesta caverna de granito.

– Por quê?

– Porque a vida animal só passou a existir na terra nos períodos secundários, quando o terreno sedimentar foi formado pelos aluviões, substituindo as rochas incandescentes da época primitiva.

– Bem, Axel, há uma resposta bastante simples à sua objeção: é que este aqui é um terreno sedimentar.

– Como? Em uma tal profundidade sob a superfície da Terra?

– Não há dúvidas, e esse fato pode ser explicado geologicamente. Em certa época, a Terra era formada apenas por uma crosta elástica, sujeita a movimentos alternantes para cima e para baixo, em virtude das leis de atração. É provável que tenham acontecido erosões do solo, e que uma parte dos terrenos sedimentares tenha sido levada para o fundo de abismos subitamente abertos.

– É possível. Mas, se animais antediluvianos viveram nestas regiões subterrâneas, quem garante que um desses monstros ainda não vague nestas florestas sombrias ou por trás dessas rochas escarpadas?

Diante dessa ideia, interroguei, não sem espanto, os diversos pontos do horizonte. Mas nenhum ser vivo aparecia naquelas orlas desertas.

Eu estava um pouco cansado. Portanto, fui me sentar na extremidade de um promontório ao pé do qual as ondas vinham bater ruidosamente. Daquele ponto, meu olhar abarcava toda a baía formada por um recorte da costa. Ao fundo, um pequeno porto estava disposto entre rochas piramidais. Suas águas calmas dormiam ao abrigo do vento. Ali, um brigue e duas ou três escunas poderiam molhar-se à vontade. Eu quase esperava ver algum navio içando todas as suas velas e ganhando o alto-mar à brisa do sul.

Mas essa ilusão se dissipou rapidamente. Éramos de fato as únicas criaturas vivas daquele mundo subterrâneo. Durante algumas calmarias, um silêncio mais profundo que o silêncio do deserto descia sobre as rochas áridas e pesava na superfície do oceano. Eu tentava, então, transpor as brumas longínquas, rasgar aquela cortina erguida sobre o fundo misterioso do horizonte. Quais perguntas estavam na ponta da minha língua? Onde aquele mar terminava? Para onde levava? Será que conheceríamos sua margem oposta?

Meu tio, por sua vez, não tinha dúvidas. Quanto a mim, ao mesmo tempo ansiava e temia as respostas.

Depois de uma hora passada na contemplação daquele espetáculo grandioso, retomamos o caminho da orla para voltar à gruta, e foi sob a influência dos mais estranhos pensamentos que caí num sono profundo.

CAPÍTULO 31

No dia seguinte, acordei completamente curado. Pensei que um banho me faria bem e fui dar um mergulho de alguns minutos nas águas daquele Mediterrâneo. Não havia dúvida de que ele merecia esse nome.

Estava morrendo de fome quando fui tomar café da manhã. Ouvi Hans cozinhando nosso pequeno cardápio. Como tinha água e fogo à disposição, ele pôde variar um pouco o menu usual. Na sobremesa, nos serviu algumas xícaras de café, e nunca senti tanto prazer em degustar aquela bebida magnífica.

– Agora – disse meu tio –, vejamos a hora da maré. Não podemos deixar de estudar esse fenômeno.

– Maré? Como assim? – questionei.

– É claro.

– A influência da Lua e do Sol chegam até aqui?

– Por que não? Os corpos não estão sujeitos em seu conjunto à atração universal? Essa massa d'água não tem por que fugir à regra geral. Então, apesar da pressão atmosférica na sua superfície, você vai ver que ela sobe como o próprio Atlântico.

Naquele momento, caminhávamos pela areia do rio e as ondas chegavam pouco a pouco sobre a praia.

— É a maré subindo — exclamei.

— Sim, Axel, e, depois dessa etapa de espuma, você vai ver que o mar se eleva mais ou menos uns três metros.

— Que incrível!

— Incrível nada, é natural.

— Pode dizer o que quiser, mas me parece extraordinário, e é difícil acreditar nos meus próprios olhos. Ninguém imaginaria que, dentro da crosta terrestre, haveria um verdadeiro oceano, com fluxos e refluxos, brisas e tempestades.

— Por que não? Existe algum motivo físico contra isso?

— Não que eu saiba, além da hipótese de calor central que é preciso abandonar.

— Então, até aqui, a teoria de Davy está justificada?

— É claro, não há nada que contradiga a existência de mares ou terras no interior do globo.

— Provavelmente, mas desabitados.

— Bom, por que essas águas não abrigariam alguns peixes de espécies desconhecidas?

— Seja como for, não vimos nenhum até agora.

— Podemos fabricar linhas e ver se o anzol teria tanto sucesso aqui embaixo quanto nos oceanos sublunares.

— Vamos tentar, Axel, pois é preciso penetrar em todos os segredos dessas regiões novas.

— Mas onde estamos, meu tio? Ainda não fiz a pergunta que seus instrumentos já devem ter respondido.

— Horizontalmente, a mil e setecentos quilômetros da Islândia.

— Tudo isso?

— Tenho certeza de que não me enganei mais de um quilômetro.

– E a bússola continua indicando sudeste?
– Sim, com uma declinação ocidental de dezenove graus e quarenta e dois minutos, exatamente como na superfície. No caso da inclinação, aconteceu um fato curioso que observei com muita atenção.
– Qual?
– É que a agulha, em vez de se inclinar em direção ao polo, como faz no hemisfério boreal, se levanta.
– Então, o ponto de atração magnética deve ficar entre a superfície e a profundidade a que estamos?
– Exato, e é provável que, se chegarmos embaixo das regiões polares, perto do grau setenta, onde James Ross descobriu o polo magnético, vamos ver a agulha erguer-se verticalmente. Portanto, esse centro misterioso de atração não se encontra a uma profundidade muito grande.
– Tem razão. Está aí um fato de que a ciência sequer desconfia.
– A ciência, meu filho, é feita de erros, mas são erros bons de cometer, pois, pouco a pouco, se encaminham à verdade.
– E a que profundidade estamos?
– Cento e setenta quilômetros.
– Então – disse, examinando o mapa –, a parte montanhosa da Escócia está acima de nós, onde os montes Grampian se erguem a uma altura estupenda com seus cumes cobertos de neve.
– Sim – respondeu o professor, rindo. – É um pouco pesado para carregar, mas essa abóbada é sólida. O grande arquiteto do universo a construiu com bons materiais; o homem nunca teria conseguido elaborar algo desse porte! O que são os arcos das pontes e catedrais perto dessa nave de

catorze quilômetros, sob a qual um oceano e tempestades podem se desenvolver à vontade?

– Ah, não tenho medo de que o céu se parta sobre a minha cabeça. Agora, meu tio, quais são seus planos? Não pretende voltar à superfície da Terra?

– Voltar? Ora essa! Pretendo seguir com a nossa viagem, isso sim, afinal, tudo correu tão bem até aqui.

– Mas não entendo como vamos atravessar essa planície líquida.

– Ora, não pretendo mergulhar de cabeça. Mas, como os oceanos tecnicamente não passam de lagos, já que são cercados por terra, com toda certeza esse mar interno é circunscrito pelo maciço granítico.

– Não há dúvidas.

– Tenho certeza de que vou encontrar outras saídas na margem oposta.

– Que comprimento o senhor imagina que esse oceano tenha?

– Cento e sessenta e quatro quilômetros.

– Ah! – exclamei, imaginando que essa estimativa poderia ser completamente incorreta.

– Então, não temos tempo a perder. Amanhã mesmo vamos pegar o mar.

Involuntariamente, procurei com os olhos o navio que nos levaria.

– Ah – repeti –, vamos embarcar. Que ótimo. Em que embarcação?

– Não vai ser embarcação nenhuma, meu rapaz, mas uma boa e sólida jangada.

– Uma jangada! – exclamei. – É tão impossível construir uma jangada quanto um navio, e não estou vendo muita...

– Você pode até não estar vendo, Axel, mas, se prestar atenção, talvez escute!

– Escutar?

– Sim, algumas marteladas que mostrariam que Hans já colocou mãos à obra.

– Ele está construindo uma jangada?

– Exatamente.

– Mas como? Já derrubou alguma árvore com seu machado?

– Ah, as árvores já estavam derrubadas. Venha vê-lo trabalhar.

Depois de quinze minutos de caminhada, do outro lado do promontório que formava o pequeno porto natural, ouvi Hans trabalhar. Bastaram alguns passos para me aproximar dele. Para minha grande surpresa, uma jangada pela metade repousava na areia. Era feita de vigas de uma madeira particular, e o chão estava completamente coberto por diversas pranchas, amarras e espirais de todo tipo. Havia o bastante para construir toda uma marinha.

– Meu tio – exclamei –, que madeiras são essas?

– Pinheiro, abeto e bétula, todas espécies de coníferas do Norte, mineralizadas pela ação das águas do mar.

– Será possível?

– É o que chamamos de *surtarbrandur*, ou madeira fóssil.

– Mas, assim como os linhitos, devem ter a dureza da pedra, então, como vão flutuar?

– Nem todas flutuam. Há madeiras desse tipo que se transformam em verdadeiros antracitos, mas outras, como essas aqui, ainda não sofreram o início da transformação fóssil. Olhe só – acrescentou meu tio, jogando ao mar um daqueles destroços preciosos.

O pedaço de madeira, depois de desaparecer, voltou à superfície das ondas e balançou à mercê das flutuações.

– Está convencido? – perguntou meu tio.

– Mais convencido ainda de que é inacreditável!

Na noite do dia seguinte, graças à habilidade do guia, a jangada estava completa. Ela tinha três metros de comprimento. As vigas de *surtarbrandur*, unidas entre si por cordas fortes, resultaram uma embarcação improvisada de superfície sólida que, depois de lançada, flutuou tranquilamente sobre as águas do mar Lidenbrock.

CAPÍTULO 32

No dia 13 de agosto, acordamos bem cedo. Inauguraríamos um novo gênero de locomoção, rápido e pouco cansativo.

Um mastro feito de dois paus emparelhados, uma verga formada por um terceiro e uma vela emprestada de nossos cobertores compunham todo o aparelho da jangada. Cordas não faltavam. O conjunto era sólido.

Às seis, o professor deu o sinal de embarque. Os víveres, as bagagens, os instrumentos, as armas e uma notável quantidade de água doce estavam a postos.

Hans havia instalado um leme que lhe permitiria conduzir sua máquina flutuante. Ele assumiu o comando. Soltei as amarras que nos retinham na margem. A vela foi orientada, e partimos rapidamente.

No momento de deixar o pequeno porto, meu tio, que se preocupava com a nomenclatura geográfica, quis lhe dar um nome, o meu.

– Na verdade – eu disse –, tenho outro nome para propor ao senhor.

– Qual?

– O nome de Grauben, Porto Grauben. Ficará muito bom no mapa!

– Pode ser Porto Grauben, então.

E foi assim que a lembrança de minha querida virlandesa se vinculou à nossa feliz expedição.

A brisa soprava do nordeste. Íamos de vento em popa, com muita rapidez. As camadas tão densas da atmosfera tinham uma pressão considerável e agiam sobre a vela como um ventilador potente.

Ao fim de uma hora, meu tio pôde se dar conta da nossa velocidade.

– Se continuarmos assim – ele disse –, vamos fazer ao menos cento e quarenta e cinco quilômetros a cada vinte e quatro horas, e não tardaremos a encontrar a margem oposta.

Não respondi, e fui ocupar um lugar à frente da jangada. A costa setentrional já se distanciava no horizonte. Os dois braços da margem abriam-se amplamente, como que para facilitar nossa partida. Diante dos meus olhos estendia-se um mar imenso, e a sombra cinzenta de grandes nuvens passeava rapidamente sobre sua superfície, parecendo pesar sobre a água morna. Os raios prateados da luz elétrica, refletidos aqui e ali por alguma gotícula, faziam eclodir pontos luminosos ao lado da embarcação. E logo toda a terra se perdeu de vista, todo ponto de referência desapareceu. Sem o rastro espumante da jangada, eu teria acreditado que ela estava perfeitamente imóvel.

Por volta do meio-dia, algas imensas vieram ondular na superfície das águas. Eu conhecia o poder vegetativo dessas plantas, que se arrastam em uma profundidade de mais de três mil e quinhentos metros no fundo dos mares, reproduzem-se sob uma pressão de quase quatrocentas atmosferas e com frequência formam bancos consideráveis, suficientes para atravancar navios. Mas acho que nunca houve algas mais gigantescas do que aquelas do mar Lidenbrock.

Nossa jangada margeava *fucus*, cujo comprimento ia de novecentos a mil e duzentos metros. Eram imensas serpentes que se estendiam para além do campo da visão. Eu me divertia seguindo com o olhar suas faixas infinitas, sempre achando que tinha alcançado sua extremidade. Mas durante horas inteiras minha paciência e até minha surpresa estavam enganadas.

Que força natural poderia produzir tamanhas plantas? E qual deveria ser o aspecto da terra nos primeiros séculos de sua formação, quando, sob a ação do calor e da umidade, apenas o reino vegetal se desenvolvia na superfície?

A noite caiu, e, assim como eu tinha notado na véspera, a luminosidade do ar não sofreu nenhuma diminuição. Era um fenômeno constante, e podíamos contar com sua permanência.

Depois do jantar, deitei-me ao pé do mastro e não tardei a dormir em meio a fantasias indolentes.

Hans, imóvel ao leme, deixava deslizar a jangada, que, aliás, impelida pelo vento em popa, não precisava nem mesmo ser conduzida.

Desde a nossa partida do Porto Grauben, o professor Lidenbrock tinha me encarregado de manter o "diário de bordo", tomar nota das mínimas observações, registrar os fenômenos interessantes, a direção do vento, a velocidade adquirida, o caminho percorrido. Em suma, todos os incidentes daquela estranha navegação.

Vou me limitar, portanto, a reproduzir aqui essas anotações cotidianas, escritas, digamos, ao sabor dos acontecimentos, a fim de fornecer uma narrativa mais exata da nossa travessia.

Sexta-feira, 14 de agosto. Brisa constante do noroeste. A jangada avança rapidamente em linha reta. A costa está a cento e quarenta e cinco quilômetros a sota-vento. Nada no horizonte. A intensidade da luz não varia. Tempo bom, isto é, as nuvens estão bem elevadas, pouco densas e banhadas por uma atmosfera branca, como se fosse prata fundida.

Termômetro: + 32° C.

Ao meio-dia, Hans prepara um anzol na extremidade de uma corda. Ele o isca com um pequeno pedaço de carne e o lança ao mar. Durante duas horas não pega nada. Seriam essas águas desabitadas? Não. Uma agitação se faz. Hans puxa sua linha e apanha um peixe, que se debate com vigor.

– Um peixe! – exclama meu tio.

– É um esturjão! – exclamei por minha vez. – Um esturjão pequeno!

O professor olha atentamente o animal e não compartilha da minha opinião. Esse peixe tem a cabeça plana, arredondada, e a parte anterior do corpo coberta de placas ósseas. Sua boca não tem dentes. Nadadeiras peitorais bem desenvolvidas se ajustam ao seu corpo sem cauda. Esse animal, de fato, pertence à ordem na qual os naturalistas classificaram o esturjão, mas difere dela por aspectos essenciais.

Meu tio não se engana, pois diz, depois de um exame bem curto:

– Este peixe pertence a uma família extinta há séculos, cujos rastros fósseis encontram-se no terreno devoniano.

– Como? – perguntei. – Pegamos vivo um desses habitantes dos mares primitivos?

— Sim — respondeu o professor, continuando suas observações — e veja que esses peixes fósseis não têm nenhuma semelhança com as espécies atuais. Ora, pegar um desses seres vivo é uma verdadeira felicidade para um naturalista!

— Mas a que família ele pertence?

— À ordem dos Ganoides, família dos Cefalaspídeos, gênero...

— E então?

— Gênero dos *Pterychtis*, eu poderia jurar. Mas este aqui tem uma particularidade que, digamos, se encontra nos peixes das águas subterrâneas.

— Qual?

— Ele é cego!

— Cego?

— Não só cego, como o órgão da visão lhe falta totalmente.

Eu observo. É mesmo verdade, mas pode ser um caso particular. A linha é iscada de novo e jogada ao mar. Este oceano com certeza é repleto de peixes, pois em duas horas pegamos uma grande quantidade de *Pterychtis*, assim como peixes pertencentes a uma família igualmente extinta, os *Dipterides*, cujo gênero, porém, meu tio não soube reconhecer. Todos são desprovidos do órgão da visão. Essa pesca inesperada renova vantajosamente nossas provisões.

Desse modo, isso parece ser constante: esse mar só contém espécies fósseis, dentre as quais os peixes e os répteis são ainda mais perfeitos, pois sua criação é a mais antiga.

Talvez encontremos alguns daqueles sáurios que a ciência soube reconstituir com algumas ossadas ou cartilagens.

Pego a luneta e observo o mar. Está deserto. Sem dúvida, ainda estamos muito próximos da costa.

Olho para o céu. Por que alguns desses pássaros reconstituídos pelo imortal Cuvier não bateriam suas asas nesta pesada atmosfera? Os peixes lhes forneceriam comida suficiente. Perscruto o espaço, mas o ar é tão desabitado quanto a costa.

No entanto, minha imaginação me conduz pelas maravilhosas hipóteses da paleontologia. Sonho acordado. Acredito estar vendo na superfície das águas enormes quersites, tartarugas antediluvianas que parecem pequenas ilhas flutuantes. Na costa distante, passeiam grandes mamíferos dos primeiros dias: o leptotério, encontrado nas cavernas do Brasil, e o mericotério, vindo das regiões glaciais da Sibéria. Mais ao longe, o paquiderme lofiodon, aquela anta gigantesca, esconde-se atrás das pedras, pronto para disputar sua presa com o anoplotério, animal estranho, misto de rinoceronte, cavalo, hipopótamo e camelo, como se o Criador, apressado nas primeiras horas do mundo, tivesse reunido vários animais em um só. O mastodonte gigante gira sua tromba e esmaga com suas presas os rochedos da orla, enquanto o megatério, apoiado em suas enormes patas, fuça a terra e levanta com seus rugidos o eco dos granitos sonoros. Mais acima, o protopiteco, o primeiro macaco que apareceu na superfície do globo, escala os picos íngremes. Ainda mais acima, o pterodáctilo, com sua mão alada, desliza como um grande morcego no ar comprimido. Por fim, nas últimas camadas, pássaros imensos, mais poderosos que o casuar e maiores que o avestruz, abrem suas amplas asas e dão com a cabeça contra a parede da abóbada de granito.

Todo esse mundo fóssil renasce na minha imaginação. Reporto-me à época bíblica da criação, muito antes do nascimento do homem, quando a terra incompleta ainda não lhe era suficiente. Meu sonho então antecipa a aparição dos seres animados. Os mamíferos desaparecem, e depois os pássaros, os répteis da época secundária, e, finalmente, os peixes, os crustáceos, os moluscos e os articulados. Os zoófitos do período da transição voltam ao nada. Toda a vida da terra se resume a mim, e meu coração é o único a bater nesse mundo despovoado. Não há mais estações do ano, não há mais climas. O calor do globo cresce sem parar e neutraliza o do astro radiante. A vegetação aumenta, e eu sou como uma sombra em meio às samambaias arbóreas, caminhando com meu passo incerto sobre as margas iridescentes e os arenitos coloridos do chão. Apoio-me no tronco de coníferas imensas, deito-me à sombra de esfenófilos, asterófilos e licopódios de trinta metros de altura.

Os séculos passam como se fossem dias. Transito pela série das transformações terrestres: as rochas graníticas perdem sua dureza; o estado líquido substitui o sólido sob a ação de um calor mais intenso; as águas correm na superfície do globo, fervilham, evaporam; os vapores envolvem a terra, que pouco a pouco não forma mais do que uma massa gasosa superaquecida, grande e brilhante como o sol!

No centro dessa nebulosa, mil e quatrocentas vezes maior do que o globo que ela um dia formará, sou carregado pelos espaços planetários. Meu corpo volatiliza, sublima-se e se mistura, como um átomo imponderável, aos imensos vapores que desenham sua órbita inflamada no infinito.

Que sonho! Para onde ele me leva? Minha mão febril joga no papel seus estranhos detalhes.

Esqueci tudo: o professor, o guia, a jangada! Uma alucinação tomou conta da minha mente.

– O que você tem? – pergunta meu tio.

Meus olhos bem abertos se fixam nele, mas não o veem.

– Preste atenção, Axel, você vai cair no mar!

No mesmo instante, sinto que sou segurado com vigor pela mão de Hans. Sem ele, sob a influência do meu sonho, teria caído nas águas.

– Ele está ficando louco? – grita o professor.

– O que está acontecendo? – pergunto, finalmente voltando a mim.

– Você está doente?

– Não. Tive uma alucinação, mas já passou. Tudo vai bem, aliás?

– Sim! Boa brisa e belo mar! Avançamos rapidamente e, se minhas estimativas não estiverem erradas, não tardaremos a chegar.

Ao ouvir essas palavras me levanto, consulto o horizonte. Mas a linha d'água ainda se confunde com a linha das nuvens.

CAPÍTULO 33

Sábado, 15 de agosto. O mar mantém sua uniformidade monótona. Nenhuma terra à vista. O horizonte parece distante demais.

Minha cabeça ainda pesa pela violência do sonho. Meu tio não sonhou, mas está de mau humor. Examina todos os pontos do espaço com sua luneta e cruza os braços com o ar enfastiado.

Noto que o professor Lidenbrock está voltando a ser o homem impaciente de antes e anoto este fato no meu diário. Foram necessários meus perigos e sofrimentos para tirar dele alguma faísca de humanidade. Mas, depois da minha recuperação, a natureza retomou seu curso. E, no entanto, por que perder a paciência? A viagem não está acontecendo nas circunstâncias mais favoráveis? A jangada não está navegando com uma rapidez maravilhosa?

– Meu tio, o senhor parece inquieto – comentei, observando-o levar a luneta aos olhos.

– Inquieto, eu? Imagina.

– Impaciente, então?

– Qualquer um ficaria.

– Mas estamos navegando rápido...

– De que adianta? O problema não é que a velocidade seja pouca, mas o mar que é grande demais!

Lembro então que, antes da nossa partida, o professor avaliou que o comprimento daquele oceano subterrâneo era de uns cento e quarenta quilômetros. Já percorremos um caminho três vezes mais longo, e as margens do sul ainda não surgiram.

– Não estamos descendo! – retomou o professor. – Isso tudo é perda de tempo, afinal, não vim tão longe para dar uma voltinha de barco na lagoa!

Ele chama a travessia de voltinha de barco e esse mar de lagoa!

– Mas – argumentei –, como estamos seguindo a rota indicada por Saknussemm...

– Eis a dúvida. Estamos mesmo seguindo a rota dele? Saknussemm encontrou essa extensão de água? Ele a atravessou? Será que o riacho que nos serviu de guia não nos deixou completamente perdidos?

– Seja como for, não podemos lamentar ter chegado até aqui. É um espetáculo magnífico e...

– Não estamos aqui para ver. Eu me propus um objetivo e quero atingi-lo! Então não me fale de admirar!

Fico quieto e deixo o professor mordendo os lábios de impaciência. Às dezoito horas, Hans pede seu pagamento e seus *rijksdaalder* lhe são pagos.

Domingo, 16 de agosto. Nada de novo. Mesmo clima. O vento tem uma leve tendência a esfriar. Assim que acordo, meu primeiro cuidado é constatar a intensidade da luz. Continuo temendo que o instrumento elétrico venha a escurecer e se apague. Nada disso acontece, a sombra da jangada está claramente traçada na superfície das ondas.

Esse mar é realmente infinito! Deve ter o comprimento do Mediterrâneo ou até do Atlântico. Por que não teria?

Meu tio faz várias sondagens. Amarra uma das picaretas mais pesadas na ponta de uma corda que deixa submergir uns trezentos e sessenta e cinco metros. Nada de achar o fundo. Temos muita dificuldade para reerguer nossa sonda.

Quando a picareta volta a subir a bordo, Hans chama minha atenção para as marcas nítidas na sua superfície. Parece que esse pedaço de ferro foi serrado com vigor entre dois corpos duros.

Olho para o caçador.

– *Tänder*! – ele exclama.

Não entendo. Viro para o meu tio, que está completamente absorto em suas reflexões. Acho melhor não incomodá-lo. Volto para o islandês. Abrindo e fechando a boca várias vezes, ele me faz entender sua ideia.

– Dentes! – digo, estupefato ao considerar a barra de ferro com mais atenção.

Sim! A marca incrustada no metal era claramente de dentes! Os maxilares ao quais pertencem devem ter uma força assombrosa! Será um monstro de uma espécie perdida que se agita sob a camada profunda das águas, mais voraz que o tubarão, mais temível que a baleia? Não consigo tirar os olhos dessa barra meio mastigada! Será que meu sonho da noite anterior vai virar realidade?

Esses pensamentos me deixam agitado durante o dia todo, e minha imaginação só se acalma num sono de poucas horas.

Segunda-feira, 17 de agosto. Tento me lembrar dos instintos específicos dos animais antediluvianos da era secundária, que, sucedendo os moluscos, crustáceos e peixes, precederam a aparição dos mamíferos na Terra. Na época, o mundo era todo dos répteis. Aqueles monstros reinavam, senhores dos mares jurássicos.* A natureza lhes havia atribuído uma organização completa. Que estrutura gigantesca! Que força extraordinária! Os lagartos atuais, jacarés ou crocodilos, nem os maiores nem os mais temíveis, não passam de miniaturas enfraquecidas de seus patriarcas das primeiras eras!

Tremo só de pensar nesses monstros. Nenhum olho humano os viu vivos. Eles apareceram na terra mil séculos antes do homem, mas suas ossadas fósseis, encontradas no calcário argiloso, que os ingleses chamam de *lias*, permitiram que sua anatomia fosse reconstruída e sua conformação colossal, conhecida.

No Museu de Hamburgo, vi o esqueleto de um desses répteis que media dez metros de comprimento. Será que eu, habitante da Terra, estou destinado a ficar cara a cara com esses representantes de uma família antediluviana? Não! É impossível. No entanto, a marca de dentes vigorosos está gravada na barra de ferro, e, nela, reconheço dentes cônicos como os de um crocodilo.

Apavorado, fixo os olhos no mar. Temo ver um dos habitantes das cavernas submarinas saltar.

---

* Mares da era secundária. Eles formaram os terrenos que compõem o maciço do Jura, localizado nos Alpes, na França, na Suíça e na Alemanha.

Imagino que o professor Lidenbrock compartilhe das minhas ideias, se não dos meus medos, pois, depois de examinar a picareta, passa os olhos pelo oceano.

"Maldita seja essa ideia de sondar!", penso comigo mesmo. "Ela perturbou o descanso de algum animal marinho, e podemos acabar sendo atacados no caminho!"

Olho para as armas e confirmo que estão em bom estado. Meu tio me vê fazer isso e faz um gesto de aprovação.

Grandes agitações na superfície das ondas indicam uma perturbação nas camadas distantes. O perigo está próximo. Precisaremos ficar de guarda.

Terça-feira, 18 de agosto. Chega a noite, ou, melhor, o momento em que nossas pálpebras pesam, pois não há noite neste oceano, e a luz implacável cansa nossos olhos sem cessar, como se navegássemos sob o sol dos mares árticos. Hans está no leme. Durmo enquanto ele fica de guarda.

Duas horas depois, sou acordado por um abalo terrível. A jangada foi lançada para cima das ondas com uma força indescritível e erguida por quase quarenta metros.

– O que foi isso? – meu tio grita. – Batemos em alguma coisa?

Hans aponta o dedo para uma massa escura que se ergue e se abaixa alternadamente a uma distância de quatrocentos metros. Observo e exclamo:

– É uma toninha gigantesca!

– Sim – meu tio concorda –, e veja ali, um lagarto-do-mar descomunal.

– E, depois dele, um crocodilo monstruoso! Veja seu maxilar enorme e suas fileiras de dentes. Ah, sumiu!

– Uma baleia! Uma baleia! – o professor exclama então.
– Estou vendo as nadadeiras enormes! Veja o ar e a água que ela expele pelos respiradouros!

De fato, duas colunas líquidas se elevam a uma altura considerável sobre o mar. Ficamos surpresos, estupefatos, assombrados diante desse grupo de monstros marinhos. Eles têm dimensões sobrenaturais, e o menor deles destruiria a jangada com uma só mordida. Hans quer dar a volta com a jangada para fugir dessa região perigosa, mas, do outro lado, encontra inimigos não menos terríveis: uma tartaruga-gigante de doze metros e uma serpente de nove metros de comprimento, que ergue a enorme cabeça sobre as ondas.

Não há como fugir. Esses répteis se aproximam. Dão voltas em torno da jangada com uma rapidez que nenhum comboio em velocidade máxima alcançaria. Traçam círculos concêntricos ao nosso redor. Pego minha carabina. Mas que efeito uma bala poderia produzir nas escamas que recobrem os corpos desses animais?

Ficamos mudos de medo. Estão se aproximando! De um lado, o crocodilo; do outro, a serpente. O restante do grupo marinho desaparece. Estou prestes a atirar. Hans me impede com um sinal. Os dois monstros passam a cem metros da jangada, lançam-se um contra o outro, e sua fúria os impediu que nos vissem.

O combate acontece a duzentos metros da jangada. Vemos claramente os dois monstros se atracando.

Mas me parece que, agora, os outros animais vêm participar da luta: a toninha, a baleia, o lagarto, a tartaruga. Eu os vejo a todo tempo. Mostro-os ao islandês. Ele faz que não.

– *Tva* – ele diz.
– Como assim? Dois? Ele acha que há apenas dois animais...
– Ele tem razão! – exclama meu tio, que não tira a luneta dos olhos.
– Não pode ser!
– Sim! O primeiro monstro tem o focinho da toninha, a cabeça de um lagarto e os dentes de um crocodilo, e foi nisso que nos enganamos. É o mais terrível dos répteis antediluvianos, o ictiossauro!
– E o outro?
– O outro é uma serpente escondida no casco de uma tartaruga, o arqui-inimigo do primeiro, o plesiossauro!

Hans estava certo. Somente dois monstros estão agitando a superfície do mar, e tenho diante de mim dois répteis dos oceanos primitivos. Vejo o olhar sanguinário do ictiossauro, do tamanho de uma cabeça humana. A natureza o dotou de um aparelho ótico de extrema força, capaz de resistir à pressão das camadas de águas profundas onde habita. É conhecido como a baleia dos dinossauros, porque tem sua velocidade e tamanho. Esse que estamos vendo mede pelo menos uns trinta metros, e consigo estimar seu tamanho quando ergue as nadadeiras verticais da cauda sobre as ondas. Sua mandíbula é enorme e, segundo os naturalistas, têm pelo menos cento e oitenta e dois dentes.

O plesiossauro, uma serpente de tronco cilíndrico e cauda curta, tem as patas dispostas em forma de galhos. Seu corpo é totalmente revestido de uma carapaça, e seu pescoço, flexível como o de um cisne, ergue-se dez metros acima da água.

Esses animais se atacam com uma fúria indescritível. Levantam montanhas líquidas que se propagam até a jangada. Ficamos prestes a naufragar umas vinte vezes. Ouvimos silvos de uma intensidade assombrosa. As duas feras se atracam. Não consigo distinguir uma da outra! Só nos resta temer a fúria do vencedor.

Passa uma, duas horas. A luta continua com a mesma ferocidade. Os combatentes se aproximam e se afastam da jangada. Ficamos imóveis, prontos para atirar.

De repente, o ictiossauro e o plesiossauro desaparecem, criando um verdadeiro *maëlstrom*. O combate vai terminar nas profundezas submarinas?

Mas, de repente, surge uma cabeça enorme, a do plesiossauro. O monstro está mortalmente ferido. Consigo ver melhor seu casco. Apenas seu longo pescoço se ergue, cai, volta a se erguer e se inclina, agitando as ondas como uma chibata gigantesca, retorcendo-se como um verme cortado. A água jorra a uma distância considerável. Ela nos cega. Mas logo a agonia do réptil chega ao fim, seus movimentos diminuem, suas contorções se acalmam, e aquele longo pedaço de serpente cai como uma massa inerte nas ondas já acalmadas.

Quanto ao ictiossauro, será que voltou à sua caverna submarina ou vai ressurgir na superfície do mar?

CAPÍTULO 34

Quarta-feira, 19 de agosto. Felizmente, o vento, que sopra com força, nos permitiu fugir rapidamente da cena do combate. Hans continua ao leme. Meu tio, apartado de suas ideias fixas pelos acontecimentos do combate, recai em sua impaciente contemplação do mar.

A viagem retoma sua monótona uniformidade, que nem penso em interromper por causa dos perigos de ontem.

Quinta-feira, 20 de agosto. Brisa norte-nordeste bem inconstante. Temperatura quente. Seguimos com uma velocidade de dezesseis quilômetros por hora.

Por volta do meio-dia, escutamos um barulho distante. Registro aqui este fato sem poder lhe dar uma explicação. É um bramido contínuo.

– Longe daqui existe alguma rocha, alguma ilhota onde o mar se quebra – disse o professor.

Hans sobe no mastro, mas não vê nenhum escolho. O oceano está unido à linha do horizonte.

Três horas se passam. Os rugidos parecem vir de uma queda d'água distante.

Digo isso a meu tio, mas ele nega com a cabeça. Contudo, tenho certeza de que não estou enganado. Será que seguimos em direção a uma cachoeira que nos precipitará em um abismo? É possível que essa maneira de descer agrade ao professor, porque se aproxima da vertical, mas a mim...

Em todo caso, deve haver, a alguns quilômetros, na direção do vento, algum fenômeno ruidoso, pois, agora, os bramidos podem ser ouvidos com uma grande violência. Eles viriam do céu ou do oceano?

Volto os olhos para os vapores suspensos na atmosfera e tento sondar sua profundidade. O céu está tranquilo. As nuvens, carregadas para a parte mais alta da abóbada, parecem imóveis e se perdem na intensa irradiação da luz. Assim, preciso buscar em outro lugar a causa desse fenômeno.

Perscruto então o horizonte puro e livre de qualquer névoa. Seu aspecto não mudou. Mas, se esse barulho vem de uma queda, de uma cachoeira, se todo esse oceano se precipita em direção a uma bacia mais baixa, se esses bramidos são produzidos por uma massa de água que cai, então a corrente provavelmente aumentará, e sua velocidade crescente poderá me dar a medida do perigo que nos ameaça. Observo a corrente. É nula. Jogo uma garrafa vazia no mar, e ela permanece a sota-vento.

Por volta de quatro horas, Hans se levanta, agarra-se ao mastro e sobe até sua ponta. De lá, seu olhar percorre o arco do círculo que o oceano descreve diante da jangada, e então para em um ponto. Seu rosto não expressa nenhuma surpresa, mas seus pelos se arrepiam.

– Ele viu alguma coisa – diz meu tio.

– Acho que sim.

Hans desce, estende seu braço em direção ao sul e diz:

– *Der nere!*
– Lá? – indaga meu tio.

E, pegando sua luneta, observa atentamente durante um minuto, que me parece um século.

– É mesmo, é mesmo! – ele exclama.
– O que o senhor está vendo?
– Um jato imenso que se eleva sobre as águas.
– É outro animal marinho?
– Talvez.
– Então mudemos a direção para o oeste, pois sabemos o que esperar diante do perigo de encontrar esses monstros antediluvianos!
– Deixemos acontecer – retruca meu tio.

Viro-me em direção a Hans. Ele está no comando com um rigor inflexível.

No entanto, se da distância que nos separa desse animal – a qual devemos estimar em uns sessenta quilômetros – podemos perceber a coluna d'água expelida pelas suas ventosas, ele deve ter um tamanho sobrenatural! Fugir seria conformar-se às leis da prudência mais comum. Mas não viemos até aqui para ser prudentes.

Por isso, seguimos em frente. Quanto mais nos aproximamos, mais o jato aumenta. Que monstro pode absorver tal quantidade de água e expulsá-la assim, sem interrupção?

Às vinte horas, estamos a menos de dez quilômetros dele. Seu corpo escuro, enorme e monstruoso estende-se no mar como uma ilhota. É uma ilusão? É o medo? Seu comprimento parece-me chegar a quase dois mil metros! Que cetáceo é esse que nem Cuvier nem Blumembach previram? Ele está imóvel, como se estivesse adormecido. O mar parece incapaz de erguê-lo, e são as ondas que se quebram sobre seus flancos. A coluna de água, projetada a uma altura de cento e cinquenta metros, cai com um barulho ensurdecedor. Seguimos insensatos em direção a essa massa poderosa que cem baleias não seriam suficientes para alimentá-la em um dia.

O terror me toma. Não quero avançar mais! Se for preciso, vou cortar as adriças da vela! Revolto-me contra o professor, que não me responde.

De repente, Hans se levanta, apontando o ponto ameaçador:

– *Holme!* – ele diz.

– Uma ilha! – exclama meu tio.

– Uma ilha! – exclamo também, dando de ombros.

– Mas é claro! – responde o professor, caindo na gargalhada.

– Mas e essa coluna de água?

– *Geyser* – diz Hans.

– Isso! Sem dúvidas, um gêiser! – responde vivamente meu tio. – Um gêiser parecido com aquele da Islândia!

De início, não quero acreditar que me enganei de modo tão grosseiro. Confundir uma ilhota com um monstro marinho! Mas é evidente, e preciso aceitar meu erro. Não há nada mais do que um fenômeno natural.

À medida que nos aproximamos, as dimensões do jato se tornam grandiosas. A ilhota confunde-se com um cetáceo imenso cuja cabeça domina as ondas a uma altura de vinte metros. O gêiser, palavra que os islandeses pronunciam "geysir" e que significa "fúria", eleva-se majestosamente na sua extremidade. De vez em quando, eclodem surdas detonações, e o enorme jato, tomado pela cólera mais violenta, sacode seu buquê de vapores, precipitando-se até a primeira camada de nuvens. Está sozinho. Nem fumarolas nem fontes quentes o circundam. Toda a potência vulcânica se resume a ele. Os raios da luz elétrica vêm se misturar a esse jato deslumbrante, e cada uma de suas gotas apresenta as nuances das cores do prisma.

– Vamos encostar – diz o professor.

Mas é preciso evitar cuidadosamente essa tromba d'água que afundaria a jangada em um instante. Hans, manobrando habilmente, nos conduz à extremidade da ilhota.

Pulo sobre as pedras. Meu tio me segue com agilidade, enquanto o caçador permanece em seu posto, como um homem indiferente a esses deslumbramentos.

Caminhamos sobre um granito misturado a tufo silicioso. O chão trepida sob nossos pés, como as paredes de uma caldeira na qual se estorcem vapores superaquecidos. Está ardente. Chegamos à face de uma pequena bacia central de onde o gêiser se eleva. Mergulho um termômetro na água fervente, e ele marca um calor de cento e sessenta e três graus.

Essa água, assim, sai de um ponto ardente, o que contradiz bastante as teorias do professor Lidenbrock. Não consigo deixar de fazer essa observação.

– Bom – ele contesta –, o que isso prova contra a minha teoria?

– Nada – respondo com um tom seco, vendo que estou tentando me debater contra uma absoluta teimosia.

No entanto, sou forçado a convir que fomos muito privilegiados até agora, e que, por uma razão que me escapa, essa viagem está acontecendo em condições particulares de temperatura. Mas me parece evidente e certo que chegaremos, mais dia menos dia, a essas regiões onde o calor central atinge os mais altos limites e ultrapassa todas as graduações dos termômetros.

É o que veremos, e esta é a palavra do professor, que, depois de ter batizado esta ilhota vulcânica com o nome de seu sobrinho, dá o sinal de reembarque.

Durante alguns minutos, ainda contemplo o gêiser. Observo que os acessos de seu jato são irregulares, e que às vezes sua intensidade diminui, mas depois é retomada com novo vigor, o que atribuo às variações de pressão dos vapores acumulados em seu reservatório.

Partimos, enfim, contornando as rochas bem escarpadas do sul. Hans aproveitou essa parada para ajeitar a jangada.

Mas, antes de partir, faço algumas observações a fim de calcular a distância percorrida, e as anoto em meu diário. Já percorremos mil e trezentos quilômetros desde o Porto Grauben, e estamos a três mil quilômetros da Islândia, sob a Inglaterra.

CAPÍTULO 35

Sexta-feira, *21 de agosto*. No dia seguinte, o magnífico gêiser desaparece. O vento fica mais forte, e logo nos carrega para longe da ilhota Axel. Os bramidos vão diminuindo pouco a pouco.

O tempo, por assim dizer, vai mudar em breve. A atmosfera está carregada de vapores que levam consigo a eletricidade formada pela evaporação das águas salinas, as nuvens se abaixam visivelmente e assumem um tom uniformemente escuro. Os raios elétricos mal conseguem atravessar essa cortina opaca sobre o teatro onde será representado o drama das tempestades.

Como toda criatura sobre a terra às vésperas de um cataclismo, fico especialmente impressionado. Os cúmulos amontoados ao sul apresentam um aspecto sinistro. Eles têm aquele ar impiedoso que sempre noto no começo de temporais. O ar está pesado; o mar, calmo.

Ao longe, as nuvens lembram grandes bolas de algodão amontoadas numa desordem pitoresca. Vão se inflando aos poucos, perdendo em número o que ganham em volume. Seu peso é tanto que nem se destacam no horizonte, mas, com o sopro das correntes altas, vão se fundindo, escurecendo-se, e logo apresentam uma única camada de aspecto terrível. Às vezes, uma bola de vapor, ainda clara, salta sobre esse tapete cinza e logo se perde dentro da massa opaca.

Obviamente, a atmosfera está saturada de fluido, que me impregna completamente; meus cabelos se arrepiam como a bordo de uma máquina elétrica. Tenho a impressão de que, se meus companheiros me tocassem, levariam um choque violento.

Às dez horas os sintomas do temporal são mais óbvios. Parece que o vento enfraquece para tomar fôlego. O céu parece um odre imenso dentro do qual se agitam furacões.

Não quero acreditar nas ameaças do céu, mas, mesmo assim, não consigo deixar de dizer:

– Vamos ter tempo ruim.

O professor não responde. Está com um humor terrível ao ver o oceano se prolongar infinitamente diante dos seus olhos. Ergue os ombros diante das minhas palavras.

– Vai haver um temporal – aponta para o horizonte –, aquelas nuvens estão tão baixas que parecem prestes a esmagar o mar!

Silêncio geral. O vento se cala. A natureza parece um cadáver que não respira mais. No mastro, onde já vi surgir um leve fogo de santelmo, a vela afrouxada tomba, formando dobras pesadas. A jangada está imóvel no meio de um mar pesado e sem ondas. Mas, se não estamos avançando, por que manter a vela içada, sendo que ela pode ser nossa perdição ao primeiro impacto da tempestade?

– Vamos recolher a vela – sugiro – e derrubar o mastro. É mais prudente.

– Não, de maneira alguma! – meu tio exclama. – Cem vezes não! Que o vento nos carregue. Que o temporal nos leve!

Mas que eu finalmente veja os rochedos de uma margem, mesmo que nossa jangada seja destruída em mil pedaços!

Mal termina essa frase e o horizonte muda de aspecto de repente. Os vapores acumulados se transformam em água, e o ar, convocado com urgência para preencher os vazios produzidos pela condensação, transforma-se em furacão. Vem dos extremos mais recônditos da caverna. A escuridão cresce. Mal consigo fazer algumas anotações incompletas.

A jangada ergue-se, salta. Meu tio leva um tombo. Vou me arrastando até ele. Ele se agarra ao pé do mastro e parece observar com encanto o espetáculo dos elementos em fúria.

Hans não se move. Seus cabelos longos, soprados pelo vendaval e caindo sobre seu rosto imóvel, lhe dão uma fisionomia estranha, pois cada uma de suas pontas está arrepiada com pequenas faíscas luminosas. Seu semblante assustador é de um homem antediluviano, contemporâneo dos ictiossauros e megatérios.

O mastro, porém, resiste. A vela infla-se como uma bolha prestes a estourar. A jangada avança com uma impetuosidade que não consigo avaliar, mas menos veloz que as gotas d'água caídas sobre ela, cuja velocidade traça linhas retas e nítidas.

– A vela! A vela! – exclamo, fazendo sinal para recolhê-la.
– Não! – retruca meu tio.
– *Nej* – diz Hans, abanando a cabeça tranquilamente.

Enquanto isso, a chuva forma uma catarata ruidosa diante do horizonte em direção ao qual avançamos loucamente. Mas, antes que chegue até nós, o véu de nuvens se abre, o mar entra em ebulição e a eletricidade, produzida por uma enorme ação química que se opera dentro das camadas superiores, entra em ação. Aos estouros de trovão misturam-se jatos faiscantes dos raios. Inúmeros clarões se entrecruzam em meio às detonações. A massa de vapores torna-se incandescente. Os granizos que batem no metal de nossas ferramentas ou armas iluminam-se. As ondas altas lembram colinas ignívomas sob as quais se alimenta um fogo interno, cada crista encimada por uma chama.

Meus olhos estão ofuscados pela intensidade da luz, meus ouvidos trincados pelo som dos relâmpagos. Preciso me segurar ao mastro, que balança como um junco sob a violência do furacão...

(A partir daqui, minhas anotações de viagem ficam bem incompletas. Só consegui encontrar algumas anotações fugazes, escritas, de certa forma, maquinalmente. Mas, mesmo com sua brevidade e falta de precisão, estão marcadas pela emoção que me dominava e transmitem o sentimento de nossa situação melhor do que qualquer lembrança.)

Domingo, 23 de agosto. Onde estamos? Arrastados com uma velocidade incomensurável.

A noite foi terrível. O temporal não se acalmou. Estamos vivendo em meio ao barulho, a uma detonação incessante. Nossos ouvidos doem. Não conseguimos trocar uma palavra sequer.

Os clarões também não cessaram. Vejo os zigue-zagues retrógrados que, depois de um raio rápido, voltam de baixo para cima e vão bater contra a abóbada de granito. Ai, se ela desmoronar... Outros clarões se bifurcam ou tomam a forma de bolas de fogo que estouram como bombas. Em geral, o barulho não parece aumentar. Passou do limite de intensidade que a audição humana é capaz de ouvir, e, mesmo que todos os depósitos de pólvora do mundo explodissem juntos, não conseguiríamos ouvir.

Há uma emissão contínua de luz na superfície das nuvens. A matéria elétrica se descarrega de suas moléculas sem cessar. Está claro que os princípios gasosos do ar estão alterados. Inúmeras colunas de água se lançam na atmosfera e voltam a cair espumantes.

Onde será que estamos? Meu tio continua deitado na ponta da jangada.

O calor aumentou. Observo o termômetro, que indica... (O número está apagado.)

Segunda-feira, 24 de agosto. Não vai acabar nunca! Por que o estado dessa atmosfera tão densa, depois de alterado, não se tornaria definitivo?

Estamos quebrados de cansaço. Hans continua como sempre. A jangada avança invariavelmente rumo ao sudeste. Navegamos mais de mil quilômetros desde a ilhota Axel.

Ao meio-dia, a violência do temporal se agrava. Precisamos amarrar com firmeza todos os objetos que compõem nossa carga. E nos amarramos também. As ondas passam por cima das nossas cabeças.

Faz três dias que é impossível trocar qualquer palavra. Abrimos a boca, mexemos os lábios, mas não produzimos nenhum som compreensível. Mesmo falando ao ouvido, não conseguimos ouvir uns os outros.

Meu tio se aproximou de mim. Articulou algumas palavras. Pensei ouvir: "Estamos perdidos". Não tenho certeza.

Acho melhor escrever as palavras: "Vamos recolher a vela". Ele começa a assentir com a cabeça.

Mal teve tempo de abaixar e voltar a levantar a cabeça quando uma bola de fogo surge à beira da jangada. O mastro e a vela se separaram de um só bloco e os vejo voando a uma altura impressionante, como o pterodátilo, aquela ave fantástica dos primeiros séculos.

Estamos frios de pavor. A bola, meio branca, meio azulada, do tamanho de uma bomba de vinte e cinco centímetros, ergue-se lentamente, girando com uma rapidez espantosa sob a corrente do furacão. Vai de um lado para o outro, sobe por uma das estruturas da jangada, salta sobre o saco de mantimentos, volta a descer de leve, ressalta, toca ligeiramente na caixa de pólvora. Que horror! Vamos explodir! Não! O disco ofuscante se afasta. Aproxima-se de Hans, que o observa fixamente; do meu tio, que se joga de joelhos no chão para fugir; de mim, pálido e trêmulo sob o brilho da luz e do calor. Dá piruetas perto do meu pé, que tento tirar e não consigo.

Um odor de gás nitroso enche a atmosfera. Entra pela boca, até os pulmões. É sufocante.

Por que não consigo mover os pés? Por acaso estão presos na jangada? Ah, a queda do globo elétrico imantou todo o ferro a bordo. Os instrumentos e ferramentas se agitam, entrechocando-se com um tilintar agudo. Os pregos do meu sapato aderem-se fortemente a uma placa de ferro incrustada na madeira. Não consigo tirar os pés!

Finalmente, com um grande esforço, arranco os pés no exato momento em que a bola me pegaria em seu movimento giratório para me arrastar se...

Ah, que luz forte! O globo estoura! Estamos cobertos por jatos de chama!

Depois, tudo se apaga. Tive tempo de ver meu tio caído na jangada e Hans, como sempre no leme, parecendo cuspir fogo sob a influência da eletricidade que nele entrou!

Aonde vamos? Aonde vamos?

Terça-feira, 25 de agosto. Volto a mim depois de um longo desmaio. A tempestade continua. Os raios se lançam como uma ninhada de serpentes soltas na atmosfera.

Continuamos no mar? Sim, e levados com uma rapidez incalculável. Passamos sob a Inglaterra, sob a Mancha, sob a França, talvez sob toda a Europa!

Ouvimos um barulho novo! Claramente, as ondas quebrando contra rochedos! Mas quer dizer então que...

CAPÍTULO 36

Aqui termina o que chamei de "diário de bordo", felizmente salvo do naufrágio. Retomo, então, a minha narrativa como antes.

Não saberia dizer o que aconteceu quando do choque da jangada contra os escolhos da costa. Senti-me lançado nas águas, e, se escapei da morte, se meu corpo não se arrebentou contra as pedras afiadas, é porque o braço forte de Hans me retirou do abismo.

O corajoso islandês me carregou para longe do alcance das ondas, deixando-me sobre uma areia abrasante, onde fiquei lado a lado com meu tio.

Depois, voltou para aqueles rochedos, contra os quais batiam vagalhões furiosos, a fim de salvar alguns destroços do naufrágio. Eu não conseguia falar, sentia-me exausto pelas emoções e pelo cansaço. Precisei de uma hora inteira para me recuperar.

Nesse meio-tempo, uma chuva diluviana continuava caindo, mas com a força redobrada que anuncia o fim das tempestades. Algumas pedras sobrepostas nos ofereceram abrigo contra as torrentes do céu. Hans preparou alguns alimentos nos quais nem consegui tocar, e cada um de nós, esgotado pelas vigílias de três noites, caiu em um doloroso sono.

No dia seguinte, o tempo estava magnífico. O céu e o mar haviam se acalmado de comum acordo. Todo rastro da tempestade havia desaparecido. Foram as palavras alegres do professor que me saudaram quando acordei.

– E então, meu garoto, dormiu bem? – ele perguntou.

Será que estávamos na casa da Königstrasse, que eu descia tranquilamente para almoçar e que meu casamento com a bela Grauben aconteceria naquele mesmo dia?

Ai de mim! Se a tempestade tivesse jogado minimamente a jangada em direção ao leste, talvez tivéssemos passado sob a Alemanha, sob a minha querida cidade de Hamburgo, sob essa rua onde estava tudo o que eu mais amava no mundo. E, assim, menos de duzentos quilômetros nos separavam! Mas duzentos quilômetros verticais de uma parede de granito, e, na verdade, haveria quase cinco mil quilômetros para transpor!

Todas essas dolorosas reflexões atravessaram rapidamente minha mente antes que eu respondesse à pergunta do meu tio.

– Então – ele repetiu –, não quer me dizer se dormiu bem?

– Muito bem – respondi. – Ainda estou exausto, mas isso não é nada.

– Absolutamente nada! Um pouco de cansaço, apenas.

– Mas você me parece bem contente nesta manhã, meu tio.

– Estou encantado, meu garoto! Encantado! Chegamos!

– Ao final da nossa expedição?

– Não, mas ao final desse mar que não acabava nunca. Agora vamos retomar a via terrestre e nos meter de fato nas entranhas do globo.

– Meu tio, permita-me fazer uma pergunta.

— É claro, Axel.

— E a volta?

— A volta? Ah! Você está pensando em voltar quando nem mesmo chegamos?

— Não, só quero saber como isso vai acontecer.

— Da maneira mais simples do mundo. Depois que chegarmos ao centro do esferoide, ou encontraremos um novo caminho para chegar à superfície, ou voltaremos bem burguesmente pelo caminho já percorrido. Gosto de pensar que ele não vai se fechar atrás de nós!

— Então, será preciso pôr a jangada em ordem.

— Necessariamente.

— E as provisões? Ainda resta o suficiente para realizarmos todas essas grandes coisas?

— Sim, é bem provável. Hans é um rapaz hábil e tenho certeza de que salvou a maior parte da carga. Vamos confirmar isso, então.

Deixamos aquela gruta suscetível à brisa. Eu tinha a esperança que era ao mesmo tempo um temor: parecia-me impossível que a terrível colisão do navio não tivesse destruído tudo o que ele carregava. Enganei-me. Quando cheguei à margem, vi Hans no meio de uma multidão de objetos bem ordenados. Meu tio apertou sua mão com um sentimento vívido de reconhecimento. Esse homem de uma devoção sobre-humana, que talvez não achássemos outro igual, tinha trabalhado enquanto dormíamos e salvado os objetos mais preciosos arriscando sua vida.

Não digo que não tivemos perdas consideráveis – nossas armas, por exemplo. Mas finalmente poderíamos nos livrar daquilo! A provisão de pólvora tinha permanecido intacta, depois de quase ter explodido durante a tempestade.

– Bom – exclamou o professor –, como não temos mais nossos fuzis, não poderemos mais caçar.

– Certo. Mas e os instrumentos?

– Aqui está o manômetro, o mais útil de todos, e pelo qual eu teria dado todos os outros! Com ele, posso calcular a profundidade e saber quando chegarmos ao centro. Sem ele, arriscaríamos ir além e sair pelas antípodas!

Aquela alegria era feroz.

– E a bússola? – perguntei.

– Aqui está, em cima desta pedra e em perfeito estado, assim como o cronômetro e os termômetros. Ah, o caçador é um homem precioso!

Era preciso reconhecer que não faltava nada em matéria de instrumentos. Quanto às ferramentas e aos equipamentos, pude ver, dispersos sobre a areia, escadas, cordas, pás, picaretas etc.

No entanto, a questão dos víveres ainda precisava ser elucidada.

– E as provisões? – perguntei.

– Vejamos as provisões – respondeu meu tio.

As caixas que as continham estavam alinhadas na praia, em perfeito estado de conservação. O mar havia poupado a maioria delas. Em suma, com biscoitos, carne-seca, gim e peixes secos, podíamos contar com quatro meses de víveres.

– Quatro meses! – exclamou o professor. – Temos tempo de ir e voltar, e com o que sobrar darei um grande jantar para todos os meus colegas do Johannaeum!

Depois de tanto tempo, eu já deveria estar habituado ao temperamento do meu tio, mas esse homem sempre me surpreendia.

– Agora – ele disse –, vamos refazer nossa provisão de água com a chuva que a tempestade derramou nessas bacias de granito, e, assim, não precisamos ter medo da sede. Quanto à jangada, vou pedir a Hans para repará-la o melhor possível, ainda que eu acredite que não vá mais nos servir.

– Como assim? – indaguei.

– É o que eu acho, meu garoto! Acredito que não sairemos por onde entramos.

Olhei para o professor com uma certa desconfiança. Perguntava-me se ele não tinha ficado louco. Mal sabíamos, porém, que ele tinha razão.

– Vamos almoçar – eu disse.

Depois de dar suas instruções ao caçador, eu o segui até um alto cabo. Carne-seca, biscoitos e chá compuseram uma refeição excelente, e, devo confessar, uma das melhores que já tive em minha vida. A necessidade, o ar puro, a calma depois das agitações – tudo contribuía para meu apetite.

Durante o almoço, perguntei ao meu tio onde estávamos naquele momento.

– Parece-me difícil de calcular – eu disse.

– De calcular exatamente de fato é – ele respondeu. – É até mesmo impossível, pois, durante esses três dias de tempestade, não pude tomar nota da velocidade e da direção da jangada. Mas podemos estimar nossa posição.

– Na verdade, a última observação foi feita na ilhota do gêiser...

– Na ilhota Axel, meu garoto. Não desdenhe da honra de batizar com seu nome a primeira ilha descoberta no meio do maciço terrestre.

– Que seja! Na ilhota Axel, tínhamos atravessado mais ou menos mil e trezentos quilômetros de mar, e nos encontrávamos a quase três mil quilômetros da Islândia.

– Bom! Partamos então desse ponto e contemos quatro dias de tempestade, durante os quais nossa velocidade não deve ter sido menor que trezentos e oitenta quilômetros a cada vinte e quatro horas.

– Acredito que sim. Seriam então mil e quinhentos quilômetros a acrescentar.

– Isso, e então o mar Lidenbrock teria aproximadamente dois mil e oitocentos quilômetros de uma margem a outra! Você sabia, Axel, que ele pode competir em tamanho com o Mediterrâneo?

– Sabia, sobretudo se nós só o atravessamos em sua largura!

– O que é bem possível!

– E uma coisa curiosa – acrescentei – é que, se nossos cálculos estiverem corretos, agora esse Mediterrâneo está acima de nossas cabeças!

– É mesmo?

– É, pois estamos a quatro mil trezentos e cinquenta quilômetros de Reykjavik!

– É uma bela caminhada, meu garoto! Mas que estejamos sob o Mediterrâneo em vez de sob a Turquia ou o Atlântico, isso só pode ser confirmado se nossa direção não foi desviada.

– Não, o vento parecia constante. Desse modo, acho que esta orla deve estar situada ao sudeste do Porto Grauben.

– Bom, é fácil assegurar-se disso consultando a bússola. Então, vamos consultá-la!

O professor se dirigiu para o rochedo sobre o qual Hans havia depositado os instrumentos. Ele estava contente, alegre, esfregava as mãos, fazia poses. Um verdadeiro jovem! Eu o segui, bem curioso para saber se não estava enganado nas minhas estimativas.

Quando chegou ao rochedo, meu tio pegou a bússola, colocou-a horizontalmente e observou a agulha, que, depois de ter oscilado, parou em uma posição fixa sob a influência magnética.

Meu tio olhou, depois esfregou os olhos e olhou de novo. Por fim, virou-se para mim, atônito.

– O que foi? – perguntei.

Com gestos, pediu-me para examinar o instrumento. Uma exclamação de surpresa me escapou. A agulha marcava o norte, lá onde supúnhamos ser o sul. Ela se voltava para a orla em vez de mostrar o alto-mar.

Sacudi a bússola, examinei-a. Estava em perfeito estado. Em qualquer posição que colocássemos a agulha, ela retomava obstinadamente aquela direção inesperada.

Portanto, não devíamos mais duvidar. Durante a tempestade, não percebemos uma mudança de vento que aconteceu, reconduzindo a jangada em direção às margens que meu tio acreditava ter deixado para trás.

CAPÍTULO 37

Seria impossível descrever a sucessão de sentimentos que agitou o professor Lidenbrock: primeiro, a estupefação, depois, a incredulidade, e, por fim, a raiva. Nunca vi um homem tão desconcertado a princípio e tão irritado na sequência. A exaustão da travessia, os perigos corridos, tudo teria de recomeçar! Tínhamos voltado, em vez de seguir em frente.

Mas meu tio retomou rapidamente o controle da situação.

– Ah, a fatalidade quer brincar comigo! – ele exclamou. – Os elementos conspiram contra mim! O ar, o fogo e a água juntaram seus esforços para se opor à minha passagem! Muito bem! Vão ver do que minha vontade é capaz. Eu não vou ceder, não vou recuar um milímetro sequer, e veremos quem vai vencer, o homem ou a natureza!

Em pé sobre o rochedo, irritado, ameaçador, Otto Lidenbrock, semelhante ao poderoso Ajax, parecia desafiar os deuses. Achei que era melhor intervir e refrear aquele arroubo insensato.

– Escute – disse-lhe, com a voz firme. – Toda ambição aqui embaixo tem um limite. Não é preciso lutar contra o impossível. Estamos mal equipados para uma viagem marítima. Não dá para percorrer dois mil e quinhentos quilômetros numas vigas mal amarradas tendo um cobertor como vela e um bastão no lugar de mastro em oposição a ventos furiosos. É impossível navegar, ficamos à mercê das tempestades, e é loucura tentar essa travessia impossível uma segunda vez!

Consegui desenvolver toda uma série de argumentos irrefutáveis durante dez minutos sem ser interrompido, mas isso só aconteceu porque o professor não estava prestando atenção, não ouviu uma palavra sequer do argumento.

– Vamos à jangada! – ele gritou.

Essa foi a resposta dele. Por mais que eu fizesse, suplicasse, me exaltasse, sempre dava de cara com uma força de vontade mais dura que o granito.

Hans tinha acabado de consertar a jangada. Parecia que aquele ser estranho havia adivinhado os planos do meu tio. Com alguns pedaços de *surtarbrandur*, havia consertado a embarcação. A vela já estava içada e o vento soprava por suas dobras ondulantes.

O professor disse algumas palavras para o guia, que logo embarcou as bagagens e preparou tudo para a partida. A atmosfera estava pura e o vento noroeste era constante.

O que eu poderia fazer? Resistir sozinho contra os dois? Impossível. Se ao menos Hans ficasse do meu lado... Mas não! O islandês parecia ter abandonado toda a vontade pessoal e feito um voto de abnegação. Eu não conseguiria nada de um empregado tão servil ao seu patrão. Só me restava ir com eles.

Já estava me encaminhando para meu lugar de costume na jangada quando meu tio me deteve com a mão.

– Só vamos partir amanhã – ele disse.

Fiz um gesto resignado.

– Não posso deixar nada passar batido – ele continuou –, e, já que a fatalidade me trouxe de volta a essa parte da costa, só vou sair daqui quando a tiver estudado.

Ele tinha razão. Afinal, mesmo tendo sido trazidos de volta à margem do norte, não estávamos no mesmo ponto da nossa partida inicial. O Porto Grauben devia estar situado mais para o oeste. Nada de mais lógico, portanto, que examinar com cuidado os arredores daquele novo ponto de desembarque.

– Vamos à descoberta! – eu disse.

Enquanto Hans trabalhava, saímos andando. Era grande a distância entre o mar e o pé dos contrafortes. Caminhamos por uma meia hora até chegar à parede de rochedos. Nossos pés pisavam sobre inúmeras conchas de todas as formas e tamanhos, onde haviam habitado animais das primeiras eras. Vi também cascos enormes, cujo diâmetro ultrapassava cinco metros. Haviam pertencido aos gliptodontes do período plioceno, em relação aos quais a tartaruga moderna não passava de uma miniatura. Além disso, o solo estava repleto por uma grande quantidade de resquícios pedregosos, espécies de seixos arredondados pelas ondas dispostos em fileiras sucessivas. Essa observação me levou a crer que o mar antes ocupava aquele espaço. As ondas haviam deixado traços evidentes de sua passagem sobre as rochas dispersas, agora longe do seu alcance.

Até certo ponto, isso poderia explicar a existência daquele oceano, quase duzentos quilômetros abaixo da superfície da Terra. Na minha opinião, porém, aquela massa d'água desapareceria pouco a pouco nas entranhas da Terra, e obviamente provinha das águas do oceano, que penetraram através de alguma fissura. No entanto, era preciso admitir que essa fissura estava fechada agora, pois toda aquela caverna, ou, melhor dizendo, aquele imenso reservatório havia se enchido dentro de um período bastante curto. Seria possível supor, inclusive, que, depois de lutar contra as chamas subterrâneas, parte daquela água havia se evaporado. Isso explicaria as nuvens que pairavam sobre nossas cabeças e a descarga elétrica que criava tempestades no interior do maciço terrestre.

Essa me parecia uma boa teoria dos fenômenos que testemunhamos. Afinal, por maiores que fossem as maravilhas da natureza, elas sempre são explicáveis por razões físicas.

Portanto, caminhávamos sobre uma espécie de terreno sedimentário formado pelas águas, como todos os terrenos daquele período, tão amplamente presentes na superfície terrestre. O professor examinava cada interstício de rocha com atenção. Para ele, era importante sondar a profundeza de todas as aberturas que encontrávamos.

Tínhamos caminhado mais de um quilômetro e meio pelas margens do mar Lidenbrock quando, de repente, o solo mudou de aspecto. Parecia revirado, convulsionado por uma elevação violenta das camadas inferiores. Em vários pontos, os afundamentos e soerguimentos eram prova de um forte deslocamento do maciço terrestre.

Avançamos com dificuldade sobre as fendas de granito misturadas com sílex, quartzo e depósitos de aluvião, quando surgiu, de repente, um campo... Não, mais do que isso, uma planície de ossadas diante dos nossos olhos. Era um cemitério imenso, onde as gerações de vinte séculos misturavam seus pós eternos. Altas montanhas de restos mortais estendiam-se a distância. Ondulavam até os limites do horizonte e se perdiam dentro de uma bruma esbatida. Ali, ao longo de talvez uns oito quilômetros quadrados, acumulava-se toda a história da vida animal, pouco inscrita nos terrenos demasiadamente recentes do mundo habitado.

Éramos levados por uma curiosidade impaciente. Nossos pés esmagavam com um ruído seco os vestígios e fósseis daqueles animais pré-históricos, cujos restos raros e interessantíssimos eram disputados pelos museus das grandes cidades. A existência de mil Cuviers não teria bastado para recompor os esqueletos dos seres orgânicos que jaziam naquele ossário magnífico.

Eu estava estupefato. Meu tio havia erguido seus longos braços para a abóbada espessa que nos servia de céu. Sua boca excessivamente aberta, seus olhos fulgurantes por trás das lentes dos óculos, a cabeça abanando de cima para baixo, da esquerda para a direita, toda a sua postura denotava um espanto incomensurável. Estava diante de uma coleção inestimável de leptotérios, mericotérios, mastodontes, protopitecos, pterodátilos, todos os monstros antediluvianos amontoados para sua satisfação pessoal. Imaginem se um bibliomaníaco apaixonado fosse transportado de repente para a famosa biblioteca de Alexandria incendiada por Omar, renascida das cinzas por um milagre! Era assim que meu tio, o professor Lidenbrock, se sentia.

Mas um espanto bem diferente tomou conta dele quando, correndo através daquela poeira vulcânica, pegou um crânio descarnado e exclamou com a voz trêmula:

– Axel! Axel! Uma cabeça humana!

– Uma cabeça humana, meu tio! – respondi, igualmente espantado.

– Sim, meu sobrinho! Ah, Milne-Edwards! Ah, Quatrefages! Por que sou eu, Otto Lidenbrock, e não vocês aqui?

CAPÍTULO 38

Para compreender a evocação do meu tio a esses ilustres sábios franceses, é preciso saber que, pouco antes de nossa partida, tinha acontecido um fato de grande importância para a paleontologia.

No dia 28 de março de 1863, operários que trabalhavam sob a direção de Boucher de Pertes no canteiro de Moulin-Quignon, perto de Abbeville, no departamento de Somme, na França, encontraram uma mandíbula humana a mais de quatro metros abaixo da superfície da terra. Foi o primeiro fóssil dessa espécie a ser descoberto. Perto dele, foram encontrados machados de pedra e sílex talhados, coloridos e revestidos pelo tempo com uma pátina uniforme.

O burburinho dessa descoberta foi grande, não apenas na França, mas também na Inglaterra e na Alemanha. Vários cientistas do Instituto Francês, dentre os quais Milne-Edwards e Quatrefages, envolveram-se nesse caso. Eles demonstraram a incontestável autenticidade da ossada em questão e se tornaram os mais ferrenhos defensores do "processo da mandíbula", segundo a expressão inglesa.

Aos geólogos do Reino Unido que consideraram esse fato como certo, isto é, Falconer, Busk, Carpenter etc., juntaram-se cientistas da Alemanha, dentre eles, em primeiro lugar, o mais eufórico, o mais entusiasta: meu tio Lidenbrock.

A autenticidade de um fóssil humano da época quaternária parecia, portanto, incontestavelmente demonstrada e admitida.

Esse consenso, é verdade, havia tido um adversário ferrenho na figura de Élie de Beaumont. Esse cientista de grande autoridade sustentava que o terreno de Moulin-Quignon não pertencia ao "Diluvium", mas a uma camada menos antiga. Concordando com Cuvier nesse ponto, ele não admitia que a espécie humana tivesse sido contemporânea dos animais quaternários. Meu tio Lidenbrock, de comum acordo com a grande maioria dos geólogos, tinha resistido, disputado, discutido, ao passo que Élie de Beaumont ficou mais ou menos sozinho em suas opiniões.

Conhecíamos todos os detalhes daquele caso, mas ignorávamos que, desde a nossa partida, a questão havia avançado. Outras mandíbulas idênticas, ainda que pertencentes a indivíduos de tipos diversos e nações diferentes, haviam sido encontradas nas terras virgens e cinzentas de certas grutas na França, na Suíça e na Bélgica, assim como haviam sido descobertos armas, utensílios, ferramentas e ossadas de crianças, adolescentes, homens e idosos. A existência do homem quaternário, portanto, reafirmava-se cada dia mais.

E isso não era tudo. Novos vestígios exumados do terreno terciário plioceno haviam permitido a cientistas ainda mais audaciosos atribuir uma considerável ancianidade à raça humana. É fato que esses vestígios não eram ossadas de homens, mas apenas objetos feitos por eles: tíbias e fêmures de animais fósseis, estriados de maneira regular – esculpidos, por assim dizer – e que guardavam a marca de um trabalho humano.

Assim, de repente, o homem subia em muitos séculos a escala dos tempos. Ele precedia o mastodonte, tornava-se um contemporâneo do *Elephas meridionalis*. Tinha cem mil anos de existência, pois essa é a data atribuída pelos geólogos mais renomados à formação do terreno plioceno.

Tal era, então, o estado da ciência paleontológica, e o que conhecíamos dela era suficiente para explicar nossa atitude diante desse ossário do mar Lidenbrock. É possível compreender, portanto, a surpresa e a alegria de meu tio, sobretudo quando, vinte passos mais adiante, ele se encontrou na presença – face a face, é possível dizer – de um desses espécimes do homem quaternário.

Era um corpo humano absolutamente reconhecível. Será que um solo de uma natureza particular, assim como aquele do cemitério Saint-Michel, em Bordeaux, o tinha conservado durante séculos? Eu não saberia dizer. Mas aquele cadáver, com a pele esticada e fina, os membros ainda macios – pelo menos era o que parecia –, os dentes intactos, a cabeleira abundante e as unhas das mãos e dos pés de um tamanho assustador, mostrava-se aos nossos olhos tal qual havia vivido.

Fiquei mudo diante daquela aparição de um outro tempo. Meu tio, geralmente tão eloquente e falante, também se calou. Erguemos e endireitamos aquele corpo. Ele nos olhava com suas órbitas ocas. Apalpamos seu torso sonoro.

Depois de alguns segundos de silêncio, meu tio assumiu o papel de professor. Otto Lidenbrock, influenciado pelo seu temperamento, esqueceu as circunstâncias da nossa viagem, o meio em que estávamos e a imensa caverna que nos envolvia. Sem dúvida acreditou que estava no

Johannaeum, palestrando diante de seus alunos, pois assumiu um tom doutoral e se dirigiu a um auditório imaginário:

– Senhores – ele disse –, tenho a honra de lhes apresentar um homem da época quaternária. Grandes sábios negaram sua existência, e outros não menos sábios a afirmaram. Se estivessem aqui, os São Tomé da paleontologia o tocariam com o dedo e seriam forçados a reconhecer seu erro. Sei bem que a ciência deve desconfiar das descobertas desse gênero. Não ignoro que tipo de exploração de homens fósseis foi feita por Barnum e outros charlatões do mesmo saco. Conheço a história da rótula de Ajax, a do pretenso corpo de Orestes encontrado pelos esparciatas, e a do corpo de Astério, de dez côvados de comprimento, do qual Pausânias fala. Li relatórios sobre o esqueleto de Trapani descoberto no século XIV, no qual quiseram reconhecer Polifemo, e sobre a história do gigante desenterrado no século XVI nas imediações de Palermo. Os senhores sabem tanto quanto eu sobre a análise feita perto de Lucerna, em 1577, dessas grandes ossadas que o célebre médico Félix Plater dizia pertencer a um gigante de quase seis metros. Devorei os tratados de Cassanion e todos esses memorandos, brochuras, discursos e réplicas publicados sobre o esqueleto do rei dos Cimbros, Teutobochus, invasor da Gália, exumado em um areal do Delfinado em 1613. No século XVIII, teria combatido, junto a Pierret Campet, a existência dos pré-adamitas de Scheuchzer. Tive entre minhas mãos um escrito nomeado Gigans...

Aqui ressurgiu a debilidade natural de meu tio, que era incapaz de pronunciar palavras difíceis em público.

– O escrito nomeado Gigans... – retomou.

Ele não conseguia seguir adiante.

– Giganteo...

Impossível! A palavra infeliz não queria sair! Teriam rido bastante no Johannaeum!

– Gigantosteologia – terminou de pronunciar o professor Lidenbrock, entre dois palavrões.

Depois, continuou mais animado:

– Sim, senhores, sei de todas essas coisas! Também sei que Cuvier e Blumembach reconheceram nessas ossadas simples ossos de mamutes e de outros animais da época quaternária. Mas, neste caso aqui, qualquer dúvida seria uma ofensa à ciência! O cadáver está aqui! Os senhores podem vê-lo, tocar nele! Não é um esqueleto, é um corpo intacto, conservado com um objetivo unicamente antropológico!

Não quis de modo algum contradizer essa afirmação.

– Se eu pudesse lavá-lo com uma solução de ácido sulfúrico – continuou meu tio –, todas essas partes terrosas e essas conchas resplandecentes incrustadas nele desapareceriam. Mas estou sem o precioso solvente. No entanto, tal qual está, este corpo nos contará sua própria história.

Nesse momento, o professor pegou o cadáver fóssil e o manuseou com a destreza de um exibidor de curiosidades.

– Os senhores estão vendo – continuou – que ele não chega a dois metros de comprimento; portanto, estamos longe daqueles pretensos gigantes. Quanto à raça à qual ele pertence, é incontestavelmente caucasiana. É a raça branca, a nossa! O crânio deste fóssil é regularmente ovoide, suas maças não são pronunciadas e a mandíbula não é projetada. Ele não apresenta nenhuma marca desse prognatismo que modifica o ângulo facial. Meçam este ângulo: é de quase noventa graus. Mas irei ainda mais longe no caminho das deduções e ousarei afirmar que esta amostra humana pertence à família jafética, espalhada desde as Índias até os limites da Europa Ocidental. Não riam, senhores!

Ninguém estava rindo, mas o professor tinha o hábito de ver rostos risonhos durante suas sábias dissertações.

– Sim – ele retomou com novo ânimo –, aqui está um homem fóssil, contemporâneo dos mastodontes cujas ossadas preenchem este anfiteatro. Mas não me permitirei dizer aos senhores por qual rota chegou até aqui, e como essas camadas onde estava metido deslizaram até esta enorme cavidade do globo. Sem dúvida, na época quaternária, agitações consideráveis ainda se manifestavam na crosta terrestre; o resfriamento contínuo do globo produzia fraturas, fendas e falhas para onde uma parte do terreno superior provavelmente escorregava. Não vou mais me pronunciar, mas o homem está aqui, envolto pelas obras de suas mãos: esses machados, esses sílex talhados que constituíram a idade da pedra. E, a menos que tenha vindo até aqui como um turista ou um pioneiro da ciência, como eu, não posso pôr em cheque a autenticidade de sua origem antiga.

O professor se calou, e eu o aplaudi com entusiasmo. Aliás, meu tio tinha razão, e até mesmo homens mais sábios que o seu sobrinho não teriam razões para contrariá-lo.

Outro indício: aquele corpo fossilizado não era o único do ossário imenso. Outros eram encontrados a cada passo que dávamos naquela poeira, e meu tio podia escolher a mais maravilhosa daquelas amostras para convencer os incrédulos.

Na verdade, aquelas gerações de homens e animais confundidos naquele cemitério eram um espetáculo impressionante. Mas havia uma questão grave a que não ousávamos responder. Esses seres animados teriam deslizado em direção às margens do mar Lidenbrock, em decorrência de alguma convulsão do solo, quando já estavam reduzidos ao pó? Ou teriam vivido ali, nesse mundo subterrâneo, sob aquele céu fictício, nascendo e morrendo como habitantes do interior da Terra? Até então, apenas os monstros marinhos e os peixes tinham aparecido vivos para nós. Será que algum homem do abismo ainda vagava por aquelas praias desertas?

CAPÍTULO 39

Durante mais meia hora, aproximadamente, pisamos sobre aquelas camadas de ossos. Seguíamos em frente, impulsionados por uma curiosidade entusiasmada. Que outras maravilhas aquela caverna escondia, que outros tesouros para a ciência? Meu olhar estava à espera de qualquer surpresa; minha imaginação, de qualquer assombro.

Havia um bom tempo que as margens do mar tinham desaparecido atrás das colinas do ossário. O imprudente professor, sem medo de se perder, me levava para longe. Avançamos em silêncio, banhados pelas ondas elétricas. Por um fenômeno que não consigo explicar, e graças à difusão, já completa, a luz iluminava uniformemente as diversas faces dos objetos. Não havia uma chama em nenhum ponto determinado no espaço que produzisse algum efeito de sombra. Era como se estivéssemos em pleno meio-dia de verão das regiões equatoriais sob os raios verticais do sol. Todo vapor havia desaparecido. Os rochedos, as montanhas distantes e algumas massas confusas de florestas distantes assumiam um aspecto estranho sob a distribuição uniforme de fluido luminoso. Parecíamos aquele personagem fantástico de Hoffman que perde sua sombra.

Depois de uma caminhada de um quilômetro e meio, surgiram as bordas de uma floresta imensa, mas não como os bosques de cogumelos perto do Porto Grauben.

Era a vegetação da época terciária em toda sua magnificência. Grandes palmeiras de espécies agora desaparecidas, palmacitas soberbas, pinheiros, teixos, ciprestes e tuias representavam a família das coníferas, e se ligavam uns aos outros por uma rede de cipós indissociáveis. Um tapete de musgo e hepáticas cobria o solo macio. Alguns riachos murmuravam sob suas sombras. Em suas bordas, cresciam samambaias arborescentes, como as das cordilheiras quentes da Terra habitada. Privados do calor vivificante do sol, a única coisa que faltava a essas árvores, arbustos e plantas era cor. Tudo se confundia num tom uniforme, amarronzado, de vegetais murchos. As folhas estavam desprovidas de seu verde e as próprias flores, tão numerosas na época terciária que as viu surgir, estavam sem cor e sem perfume, parecendo feitas de um papel descolorido sob a ação da atmosfera.

Meu tio Lidenbrock aventurou-se sob aquelas matas gigantescas. Eu o segui, com certa apreensão. Se a natureza havia concedido ali toda a riqueza de uma alimentação vegetal, por que não haveria ali mamíferos terríveis também? Vi naquelas clareiras enormes, deixadas por árvores caídas ou corroídas pelo tempo, leguminosas, aceríneas, rubiáceas e milhares de arbustos comestíveis estimados por ruminantes de todas as eras. Na sequência surgiram, confundidos e misturados, árvores de lugares diversos da superfície do globo, o carvalho crescendo perto de uma palmeira, o cedro-australiano apoiado no espruce-da-noruega, a bétula-do-norte confundindo seus galhos com os dos kauris-neozelandeses. Era de bagunçar a cabeça do mais sagaz classificador da botânica terrestre.

De repente, parei. Detive meu tio com a mão.

A luz difusa permitia ver os menores objetos nas profundezas da mata. Pensei ver... Não! Realmente via com meus próprios olhos formas imensas agitarem-se sob as árvores! De fato, eram animais gigantescos, toda uma manada de mastodontes, não apenas fósseis, mas vivos, parecidos com aqueles cujos restos foram descobertos em 1801 nos pântanos de Ohio! Observei aqueles elefantes gigantes, cujas trombas se agitavam sob as árvores feito uma legião de serpentes. Ouvi o barulho de suas longas presas, cujo marfim perfurava os troncos velhos. Os galhos se quebravam e as folhas arrancadas aos montes desapareciam dentro das bocas enormes daqueles monstros.

Meu sonho em que via renascer todo o mundo dos tempos pré-históricos, dos períodos terciário e quaternário, estava finalmente se realizando! E estávamos ali, sozinhos, nas entranhas do globo, à mercê dos seus habitantes selvagens!

Meu tio observou.

– Vamos – disse, de repente, pegando meu braço. – Em frente, em frente!

– Não – exclamei. – Não! Estamos sem armas! O que vamos fazer em meio a essa manada de quadrúpedes gigantes? Venha, meu tio, venha! Nenhuma criatura humana pode enfrentar impunemente a cólera desses monstros.

– Nenhuma criatura humana! – retrucou meu tio, baixando a voz. – Você está enganado, Axel! Observe, observe lá ao longe! Parece que vejo um ser vivo! Um semelhante a nós! Um homem!

Observei, dando de ombros, decidido a manter a incredulidade até o final. Apesar disso, porém, tive de me render às evidências.

De fato, a menos de quatrocentos metros, apoiado no tronco de um kauris enorme, um ser humano, um proteu daquelas regiões subterrâneas, um novo filho de Netuno, guardava aquele rebanho imenso de mastodontes!

Immanis percoris custos, immanior ipse!

Sim! *Immanior ipse!* Não era apenas o cadáver fossilizado que havíamos descoberto no ossário, mas um gigante capaz de comandar aqueles monstros. Tinha quase quatro metros de altura. A cabeça, enorme como a de um búfalo, desaparecia sob a cabeleira desgrenhada. Era uma verdadeira crina, semelhante à dos elefantes das primeiras eras. Na mão, brandia um galho enorme, um cajado digno de um pastor antediluviano.

Ficamos imóveis, estupefatos. Mas não podíamos ser vistos. Precisávamos fugir.

– Vamos embora, vamos! – exclamei, puxando meu tio, que, pela primeira vez, se deixou levar.

Quinze minutos depois, estávamos longe do campo de visão daquele inimigo temível.

E agora, que consigo pensar tranquilamente e que a calma voltou à minha mente, agora que meses se passaram desde aquele encontro estranho e sobrenatural, o que pensar? Em que acreditar? Não, é impossível! Nossos sentidos nos enganaram, nossos olhos não viram o que viram! Não pode haver nenhuma criatura humana naquele mundo subterrâneo! Nenhuma geração de homens habita aquelas cavernas internas do globo sem desconfiar dos habitantes da superfície, sem se comunicar com eles! É loucura, profunda loucura!

Prefiro admitir a existência de qualquer animal cuja estrutura lembra a humana, qualquer símio das primeiras eras geológicas, algum protopiteco ou mesopiteco semelhante ao descoberto por Lartet na jazida de ossos de Sansan. Mas o que vimos ultrapassa em tamanho todas as medidas dadas pela paleontologia! Não importa! Um macaco, sim, um macaco, por mais inverossímil que seja! Mas um homem, um homem vivo, e, com ele, toda uma geração escondida nas entranhas da terra? Nunca!

Nisso, havíamos deixado a floresta clara e luminosa, mudos de espanto, tomados por um estupor que beirava o embrutecimento. Corremos sem pensar. Era uma verdadeira fuga, semelhante às correrias assustadoras de alguns pesadelos. Por instinto, voltamos em direção ao mar Lidenbrock, e não sei que divagação minha mente teria alimentado não fosse pela preocupação que me levava a observações mais práticas.

Mesmo tendo certeza de que pisávamos em solo totalmente desconhecido, vi várias aglomerações rochosas, cuja forma lembrava os rochedos de Porto Grauben. Às vezes, chegava a me confundir. Os riachos e cascatas tombavam às centenas das saliências rochosas. Acreditava estar revendo a camada de *surtarbrandur*, nosso fiel Hans Bach e a gruta onde recuperei a consciência. Depois, alguns passos além, a disposição dos contrafortes, a aparição do riacho, o perfil surpreendente do rochedo me faziam voltar a ter dúvidas.

O professor também estava indeciso. Não conseguia se localizar em meio àquela paisagem uniforme. Disse a ele as palavras que lhe escapavam.

– É evidente – eu disse – que não aportamos no nosso ponto de partida, mas, sem dúvida, ao contornar o rio, nos aproximamos do Porto Grauben.

– Nesse caso – meu tio retrucou –, é inútil continuar essa exploração, e o melhor é voltar à jangada. Mas tem certeza de que não está enganado, Axel?

– É difícil ter certeza, porque todos esses rochedos são parecidos. Tenho a impressão de reconhecer o promontório ao pé do qual Hans construiu nossa embarcação. Devemos estar perto do pequeno porto, se é que já não estamos nele – acrescentei, examinando uma enseada que pensei reconhecer.

– Não, Axel, se fosse, encontraríamos pelo menos nossos rastros, e não estou vendo nada...

– Eu estou! – exclamei, lançando-me em direção a um objeto que brilhava na areia.

– O que é isso?

– Olhe só! – respondi, mostrando ao meu tio o punhal que tinha acabado de pegar.

– Que coisa! – ele disse. – Você trouxe essa arma consigo?

– Eu não. Pensei que o senhor havia trazido.

– Não, que eu saiba nunca tive um objeto desses.

– Eu também não, meu tio.

– Que estranho!

– Não, é bem simples. Muitos islandeses têm armas como esta, e Hans, que deve ser seu dono, a perdeu aqui na praia...

– Hans! – chamou meu tio, virando a cabeça.

Depois, examinou a arma com atenção.

– Axel – ele me disse com a voz grave –, esse punhal é uma arma do século XVI, uma verdadeira adaga, do tipo que os cavalheiros usavam na cintura para dar o golpe de misericórdia. Tem origem espanhola. Não é minha, nem sua, nem do caçador!

– O senhor acha que...?

– Olhe, ela não está desgastada de tanto se enfiar na garganta das pessoas. A lâmina está coberta de uma camada de ferrugem que não data de um dia, um ano, nem um século!

O professor se animou, como de costume, deixando-se levar pela imaginação.

– Axel – continuou ele –, estamos diante de uma grande descoberta! Essa arma ficou abandonada na areia por cem, duzentos, trezentos anos, desgastada pelas rochas desse mar subterrâneo!

– Mas não veio sozinha! – exclamei. – Não se torceu sozinha! Alguém nos precedeu...

– Sim, um homem.

– Que homem?

– Um homem que gravou seu nome com esse punhal! Um homem que quis marcar com suas mãos o caminho para o centro! Vamos procurar, vamos procurar!

E, profundamente interessados, voltamos a percorrer a alta muralha, examinando todas as fissuras que pudessem se transformar em galerias.

Chegamos então a um local onde a margem se estreitava. O mar quase chegava a banhar o pé dos contrafortes, deixando uma passagem de no máximo dois metros de largura. Entre duas rochas salientes, vimos a entrada de um túnel obscuro.

Ali, numa placa de granito, surgiram duas letras misteriosas semicorroídas, as duas iniciais do bravo e fantástico viajante:

$$\cdot \ \mathcal{A} \cdot \mathcal{V} \cdot$$

– A. S.! – exclamou meu tio. – Arne Saknussemm! Sempre Arne Saknussemm!

CAPÍTULO 40

Desde o começo da viagem, eu tinha passado por várias emoções. Acreditava estar livre das surpresas e indiferente a qualquer deslumbramento. No entanto, quando vi aquelas duas letras lá grafadas há trezentos anos, fiquei num estado de assombro semelhante à estupidez. Não apenas a assinatura do sábio alquimista podia ser lida sobre a pedra, como também o punhal que a havia traçado estava em minhas mãos. A não ser que fosse por má-fé, eu não podia mais duvidar da existência do viajante e da realidade da sua viagem.

Enquanto essas reflexões rodopiavam em minha cabeça, o professor Lidenbrock, em um acesso um pouco ditirâmbico, dirigia-se ao lugar de Arne Saknussemm.

– Maravilhoso gênio – ele exclamou –, você não se esqueceu de nada que pudesse abrir as rotas da crosta terrestre a outros mortais, e seus semelhantes agora podem reencontrar os rastros que seus pés, há três séculos, deixaram no fundo desses subsolos obscuros! Você reservou a contemplação dessas maravilhas a outros olhares que não fossem os seus! Seu nome grafado a cada etapa conduz diretamente ao seu objetivo, o viajante audacioso o suficiente para segui-lo, e até mesmo no centro do nosso planeta seu nome ainda está inscrito de próprio punho. Pois bem, também vou deixar minha assinatura nesta última página de granito. Que a partir de agora este cabo visto por você, perto deste mar também visto por você, seja chamado para sempre de cabo Saknussemm!

Eis aqui mais ou menos o que escutei, e então me senti tomado pelo entusiasmo que essas palavras inspiravam. Uma chama interior reanimou meu peito! Esqueci de tudo, dos perigos da viagem, das ameaças do retorno. O que outro tinha feito eu também queria fazer, e nada do que era humano me parecia impossível.

– Vamos em frente! Em frente! – exclamei.

Já estava me lançando em direção à galeria sombria quando o professor me parou, e ele, o homem explosivo, aconselhou-me paciência e sangue-frio.

– Primeiro voltemos até Hans – ele disse –, e tragamos a jangada até aqui.

Obedeci à ordem, não sem pesar, e desci rapidamente pelas pedras da costa.

– O senhor sabia, meu tio – eu disse, caminhando –, que até aqui fomos muito favorecidos pelas circunstâncias?

– Você acha, Axel?

– Sem dúvidas! Até mesmo a tempestade nos recolocou no caminho certo. Bendita seja a tempestade! Ela nos trouxe de volta a esta costa de onde o tempo bom nos afastou! Suponha por um momento que tivéssemos tocado com nossa proa (a proa de uma jangada!) as margens meridionais do mar Lidenbrock. O que teria nos acontecido, então? O nome de Saknussemm não teria aparecido diante de nossos olhos, e, agora, estaríamos abandonados numa praia sem saída.

– Sim, Axel, há algo de providencial no fato de que, vagando em direção ao sul, tenhamos precisamente voltado ao norte e ao cabo Saknussemm. Devo dizer que isso é mais do que surpreendente, e que a explicação desse fato me escapa por completo.

– Bom, mas e daí? Não temos de explicar os fatos, mas aproveitá-los!

– Sem dúvida, meu garoto, mas...

– Mas vamos retomar o caminho do norte e passar sob as regiões setentrionais da Europa, sob a Suécia, a Rússia, a Sibéria, e sabe-se lá por onde mais, em vez de nos embrenhar sob os desertos da África ou as ondas do Oceano, e não quero mais discutir isso!

– Está certo, Axel, você tem razão, e tudo está indo muito bem, pois deixamos para trás esse mar horizontal que não podia levar a nada. Vamos descer, descer e descer! Você sabe bem que, para chegar ao centro do globo, não nos resta mais do que sete mil e duzentos quilômetros a transpor!

– *Bah*! – exclamei. – Não vale a pena falar disso! Vamos em frente! Em frente!

Essas conversas insensatas ainda estavam acontecendo quando reencontramos o caçador. Tudo estava pronto para uma partida imediata, e todos os pacotes já estavam embarcados. Tomamos nossos lugares na jangada e, com a vela içada, Hans se dirigiu ao cabo Saknussemm contornando a costa.

O vento não era favorável a um tipo de embarcação que não podia navegar à bolina cerrada. Desse modo, em vários lugares, foi preciso avançar com a ajuda de varas. Com frequência, os rochedos, dispostos à flor d'água, nos forçaram a fazer desvios bem longos. Enfim, depois de três horas de navegação, isto é, por volta das dezoito horas, chegamos a um lugar propício ao desembarque.

Saltei na praia, seguido do meu tio e do islandês. Aquela travessia não tinha me acalmado. Ao contrário, até propus queimar nossas "embarcações" para despistar o inimigo. Mas meu tio se opôs a isso. Eu o achei meio desanimado.

– Ao menos partamos sem perder um minuto – eu disse.

– Sim, meu garoto. Mas, antes, vamos examinar essa nova galeria para saber se precisamos preparar nossas escadas.

Meu tio ligou seu aparelho de Ruhmkorff. A jangada, presa à margem, foi deixada sozinha. Aliás, a abertura da galeria não estava nem a vinte passos, e assim nossa pequena tropa, comigo à frente, não demorou para chegar lá.

O orifício, mais ou menos circular, apresentava um diâmetro de aproximadamente um metro e meio. O sombrio túnel era talhado na pedra afiada e cuidadosamente perfurada pelos materiais eruptivos que outrora passavam ali. Sua parte inferior tocava o chão, de modo que pudemos penetrar ali sem dificuldades.

Seguíamos um plano quase horizontal quando, ao fim de seis passos, nossa marcha foi interrompida pela interposição de um bloco enorme.

– Maldita pedra! – gritei, colérico, vendo-me subitamente impedido por um obstáculo intransponível.

Por mais que procurássemos à esquerda e à direita, embaixo e em cima, não havia nenhuma passagem, nenhuma bifurcação. Senti um desapontamento vívido e não queria admitir a realidade do obstáculo. Abaixei-me. Olhei embaixo do bloco. Nenhuma lacuna. Em cima. Mesma barreira de granito. Com a lâmpada, Hans iluminou todos os pontos da parede, mas ela não oferecia nenhuma solução para continuarmos.

Precisávamos renunciar à esperança de passar.

Sentei-me no chão. Meu tio percorria o corredor a passos largos.

– Mas, então, Saknussemm? – exclamei.

– Pois é – disse meu tio. – Será que ele foi impedido por esta porta de pedra?

– Não, não! – retomei vivamente. – Este pedaço de pedra fechou bruscamente esta passagem por conta de alguma agitação qualquer ou de algum desses fenômenos magnéticos que sacodem a crosta terrestre. Vários anos se passaram entre o retorno de Saknussemm e a queda deste bloco. É evidente que, tempos atrás, esta galeria tenha sido o caminho das lavas, e que, naquela época, materiais eruptivos circulavam livremente por aqui. Veja, há fissuras recentes que fazem sulcos neste teto de granito. Ele é feito de retalhos e pedras enormes, como se a mão de um gigante tivesse trabalhado nesta substrução. Mas, um dia, a pressão foi mais forte, e este bloco, como uma pedra angular que está faltando, deslizou até o chão, obstruindo toda a passagem. Este aqui é um obstáculo acidental que Saknussemm não encontrou, e, se não o retirarmos daqui, seremos indignos de chegar ao centro do mundo!

E foi assim que falei. A alma do professor tinha entrado completamente em mim. O gênio das descobertas me inspirava. Eu me esquecia do passado, e desdenhava do futuro. Nada mais existia para mim na superfície desse esferoide em meio ao qual eu estava embrenhado, nem as cidades, nem os campos, nem Hamburgo, nem Königstrasse, nem a minha pobre Grauben, que devia acreditar que eu estava perdido para sempre nas entranhas da terra.

– Bom – retomou meu tio –, a golpes de alvião e de picareta vamos abrir nossa trilha e destruir esta muralha!

– É muito duro para o alvião! – exclamei.

– Então, a picareta!

– É muito duro para a picareta!

– Mas...

– Mas, então, a pólvora! A mina! Vamos minar e fazer o obstáculo explodir!

– A pólvora!

– Sim! Só temos um pedacinho de rocha para quebrar!

– Hans, ao trabalho! – ordenou meu tio.

O islandês foi até a jangada e voltou logo em seguida com um alvião, com o qual escavou um fornilho. Era um trabalho duro! Tratava-se de fazer um buraco grande o suficiente para conter vinte e dois quilos de algodão-pólvora, cujo poder explosivo é quatro vezes maior do que aquele da pólvora de canhão.

Minha mente estava muitíssimo animada! Enquanto Hans trabalhava, ajudei ativamente meu tio a preparar um grande rastilho feito com a pólvora molhada dentro de uma mangueira de lona.

– Vamos passar! – eu dizia.

– Vamos passar – repetia meu tio.

À meia-noite, nosso trabalho de mineiros estava completamente pronto. A carga de algodão-pólvora estava metida dentro do fornilho, e o rastilho, desenrolando-se através da galeria, chegava até o lado de fora.

Uma faísca era suficiente para ativar aquele equipamento formidável.

– Até amanhã! – disse o professor.

Precisei resignar-me, e ainda esperar seis grandes horas!

CAPÍTULO 41

O dia seguinte, quinta-feira, 27 de agosto, foi uma data eminente da nossa viagem subterrânea. Sempre que me lembro dela, o pavor volta a bater em meu peito. A partir daquele momento, nossa razão, nosso bom senso e nossa engenhosidade perderam todo o peso, e viramos brinquedinhos nas mãos dos fenômenos da Terra.

Às seis horas, já estávamos de pé. Estava chegando o momento de abrirmos caminho com a pólvora pela crosta de granito.

Pedi a honra de atear fogo à mina. Depois disso, deveria me juntar aos meus companheiros na jangada, que não precisava ser descarregada. Navegaríamos para evitar os perigos da explosão, cujos efeitos não teriam como se concentrar no interior do maciço.

Pelos nossos cálculos, o pavio queimaria por dez minutos até levar o fogo ao recipiente de pólvora. Portanto, eu tinha tempo suficiente para voltar à jangada.

Um tanto emocionado, estava me preparando para cumprir meu papel.

Depois de uma refeição rápida, meu tio e o caçador embarcaram, enquanto continuei no rio. Estava munido de um candeeiro aceso que me ajudaria a atear fogo no pavio.

– Vá, meu rapaz – disse meu tio –, mas volte imediatamente.

– Fique tranquilo, meu tio, pois não vou me distrair no caminho.

Logo em seguida, fui até o orifício da galeria, abri meu candeeiro e peguei a ponta do pavio.

O professor estava com o cronômetro nas mãos.

– Está pronto? – gritou para mim.

– Estou.

– Então, bote fogo, rapaz!

Mergulhei o pavio rapidamente na chama, acendendo-o com o contato, e, sem parar de correr, voltei à margem.

– Embarque – disse meu tio –, e vamos partir.

Com um impulso vigoroso, Hans nos lançou ao mar. A jangada se distanciou por uns quarenta metros.

Foi um momento emocionante. O professor não tirava os olhos do ponteiro do cronômetro.

– Faltam cinco minutos – ele dizia. – Faltam quatro. Faltam três.

Meu coração marcava os meios segundos.

– Mais dois. Um! Desmoronem, ó montanhas de granito!

O que aconteceu depois? Creio não ter ouvido o barulho da detonação. Mas a forma dos rochedos se modificou subitamente diante dos meus olhos. Abriram-se como uma cortina. Vi um abismo insondável crescer em plena praia. Tomado por uma vertigem, o mar se transformou numa onda enorme, em cujo dorso a jangada se ergueu perpendicularmente.

Nós três levamos um tombo. Em menos de um segundo, a luz se transformou na mais profunda escuridão. Senti a falta de um apoio sólido, não para os meus pés, mas para a jangada. Pensei que estávamos naufragando. Não era isso. Quis falar com meu tio, mas os bramidos das águas o impediriam de ouvir.

Apesar das trevas, do barulho, da surpresa, da emoção, entendi o que havia acontecido.

Atrás das rochas, que tinham acabado de explodir, havia um abismo. A explosão tinha causado uma espécie de tremor de terra naquele solo sulcado de fissuras, o abismo se abrira, enquanto o mar, transformado em torrente, nos arrastava para longe.

Eu me sentia perdido.

Não sei se passaram uma ou duas horas assim. Nós nos agarrávamos pelos cotovelos e nos segurávamos pelas mãos para não sermos lançados para fora da jangada. Quando a embarcação batia contra a muralha, produzia impactos de extrema violência. No entanto, esses impactos eram raros, por isso concluí que a galeria se alargava consideravelmente. Sem dúvida era o caminho de Saknussemm, mas, em vez de apenas descermos por ele, nossa imprudência tinha arrastado todo o mar conosco.

Obviamente, esses pensamentos me passavam pela cabeça de forma vaga e obscura. Eu os associava com dificuldade durante aquele trajeto vertiginoso que mais parecia uma queda. A julgar pelo ar que soprava pelo meu rosto, a velocidade deveria ultrapassar a dos trens mais velozes. Portanto, era impossível acender uma tocha naquelas condições, e nosso último aparelho elétrico tinha se quebrado na hora da explosão.

Por isso, muito me surpreendi quando vi uma luz se acender tão perto de mim. A figura calma de Hans se iluminou. O hábil caçador havia conseguido acender o candeeiro e, por mais que sua chama vacilasse a ponto de quase se apagar, lançava alguns clarões contra a escuridão apavorante.

A galeria era enorme. Minha avaliação estava correta. Nossa luz fraca não nos permitia ver suas duas muralhas ao mesmo tempo. A queda d'água que nos transportava era maior que as correntezas mais intransponíveis da América. Sua superfície parecia feita de um feixe de flechas líquidas disparadas com uma força enorme. Impossível expressar minhas impressões com uma comparação mais justa. Passando por alguns redemoinhos, a jangada girava vez por outra. Quando se aproximava das paredes da galeria, nelas eu projetava a luz da lanterna. Conseguia estimar a velocidade vendo as saliências rochosas se alterarem em traços contínuos, de forma que ficávamos envoltos por uma rede de linhas em movimento. Eu estimava que nossa velocidade deveria ultrapassar cento e quarenta quilômetros por hora.

Eu e meu tio trocávamos olhares desvairados, agarrados ao resto do mastro que tinha se quebrado no momento da catástrofe. Ficamos de costas para o vento para não sermos sufocados pela rapidez do movimento que nenhuma força humana seria capaz de deter.

Enquanto isso, as horas iam se passando. A situação não mudava, mas um incidente veio complicá-la ainda mais.

Ao tentar colocar um pouco de ordem na nossa carga, vi que a maioria dos objetos embarcados tinha se perdido no momento da explosão, quando o mar nos atacou com brutal violência! Quis saber exatamente com que recursos poderíamos contar; então, com a lanterna em mãos, comecei meu inventário. Dos nossos instrumentos, só restaram a bússola e o cronômetro. As escadas de mão e cordas tinham se reduzido a um pedaço de cabo enrolado em volta do resto de mastro. Não tínhamos nenhuma pá, nenhuma picareta, nenhum martelo, e – a desgraça mais irreparável – não tínhamos víveres para nem mais um dia!

Examinei os interstícios da jangada, os menores cantos formados entre as vigas e junções de pranchas. Nada! Nossas provisões consistiam apenas de um pedaço de carne-seca e alguns biscoitos.

Fiquei olhando com cara de idiota! Não queria acreditar. Mas, afinal, por que me preocupava com esse perigo? Mesmo que os víveres fossem suficientes para meses ou anos, como sair daqueles abismos para onde aquela torrente implacável nos arrastava? Por que temer as torturas da fome se a morte já se apresentava a nós sob tantas outras formas? Será que teríamos tempo para morrer de inanição?

No entanto, por uma esquisitice implacável da imaginação, esqueci-me do perigo imediato e passei a pensar nas ameaças do futuro que surgiam diante de mim com todo o seu horror. Além disso, talvez conseguíssemos escapar dos furores da torrente e retornar à superfície do globo. Como? Eu não fazia ideia. Onde? Não importava! Uma chance em mil é sempre uma chance, desde que morrer de fome não eliminasse todos os resquícios de esperança, por menores que fossem.

Pensei em contar tudo isso a meu tio, mostrar-lhe a penúria a que fomos reduzidos e fazer o cálculo exato do tempo que ainda tínhamos de vida. Mas consegui me calar. Queria que ele mantivesse todo seu sangue-frio.

Nesse momento, a luz da lanterna foi diminuindo pouco a pouco, até se apagar completamente. O pavio tinha se queimado até o final. A escuridão voltou a ser absoluta. Não havia como dissipar aquelas trevas impenetráveis. Ainda havia uma tocha, mas não conseguiríamos mantê-la acesa. Então, feito uma criança, fechei os olhos para não ver toda aquela escuridão.

Depois de um período bem longo, a velocidade do nosso trajeto se redobrou. Notei isso pela reverberação de ar no meu rosto. A queda d'água tinha ficado excessiva. Realmente acreditei que não estávamos mais deslizando. Caíamos. Tive a impressão de que era uma queda quase vertical. A mão do meu tio e a de Hans, agarradas aos meus braços, seguravam-me com força.

De repente, depois de um tempo incalculável, senti algo parecido com um impacto. A jangada não tinha se chocado contra um corpo duro, mas sua queda foi interrompida de repente. Uma torrente de água, uma coluna líquida imensa se abateu sobre a sua superfície. Fiquei sufocado. Estava me afogando.

No entanto, a inundação repentina não durou. Em poucos segundos, tinha ar puro para inspirar a plenos pulmões. Meu tio e Hans apertaram meus braços a ponto de quase quebrá-los, e ainda estávamos os três sobre a jangada.

CAPÍTULO 42

Suponho que deviam ser dez horas da noite. Depois daquele último acesso, o primeiro dos meus sentidos que voltou a funcionar foi a audição. Ouvi, quase imediatamente – porque foi um verdadeiro ato de audição –, o silêncio se fazer na galeria e suceder aqueles bramidos que, desde longas horas, preenchiam meus ouvidos. Estas palavras do meu tio me chegaram, enfim, como um murmúrio:

– Estamos subindo!

– O que o senhor quer dizer? – indaguei.

– Isso mesmo, estamos subindo! Subindo!

Estendi o braço e toquei a muralha. Minha mão sangrou. Subíamos com extrema rapidez.

– A tocha! A tocha! – exclamou o professor.

Hans conseguiu acendê-la com certa dificuldade. Por mais que as chamas se debatessem de cima a baixo, por conta do movimento para cima, a tocha lançava luz suficiente para clarear toda a cena.

– É exatamente o que eu estava pensando – disse meu tio. – Estamos em um poço estreito, que não tem nem oito metros de diâmetro. A água, depois de ter chegado ao fundo do abismo, está retornando ao seu nível e nos carregando junto com ela.

— Para onde?

— Não sei, mas precisamos estar prontos para qualquer coisa. Estamos subindo com uma velocidade que estimo em quatro metros por segundo, o que significa duzentos e quarenta metros por minuto, ou catorze mil e setecentos quilômetros por hora.

— Sim, mas só se nada nos impedir, e se este poço tiver uma saída! Mas, se for bloqueado, se o ar se comprimir pouco a pouco sob a pressão da coluna de água, se formos esmagados...

— Axel — interrompeu-me o professor com uma grande calma —, a situação é quase desesperadora, mas existem chances de salvação, e são justamente elas que estou examinando. Se podemos morrer a qualquer momento, também podemos ser salvos a qualquer momento. Que estejamos, portanto, em condições de aproveitar todas essas circunstâncias!

— Mas o que vamos fazer?

— Restaurar nossas forças comendo.

Ao ouvir essas palavras, encarei meu tio com uma expressão apavorada. Fui forçado finalmente a lhe dizer o que não queria confessar.

— Comer? — repeti.

— Sim, sem mais demora.

O professor disse mais algumas palavras em dinamarquês. Hans balançou a cabeça.

— O quê? — exclamou o professor. — Nossas provisões estão perdidas?

— Estão. Isto é o que resta dos víveres: um pedaço de carne-seca para nós três!

Meu tio me olhava sem conseguir compreender minhas palavras.

– E então – perguntei –, o senhor ainda acredita que podemos ser salvos?

Minha pergunta ficou sem resposta.

Uma hora se passou. Eu começava a sentir uma fome violenta. Meus companheiros também sofriam, e nenhum de nós ousava tocar naquele mísero resto de alimento.

Nesse meio-tempo, continuávamos subindo rapidamente. Às vezes, o ar nos faltava, como acontece com os aeronautas quando a subida é muito rápida. Mas, se estes sentem um frio proporcional à medida que sobem nas camadas atmosféricas, sofríamos um efeito absolutamente contrário. O calor aumentava de um modo inquietante, e devia ter chegado a quarenta graus.

O que significava essa mudança? Até aquele momento, os fatos haviam dado razão às teorias de Davy e Lidenbrock. Até aquele momento, condições particulares das rochas refratárias, da eletricidade e do magnetismo haviam modificado as leis gerais da natureza, proporcionando-nos uma temperatura moderada – pois a teoria do fogo central ainda era, para mim, a única verdadeira, a única explicável. Será que chegaríamos a um meio onde esses fenômenos se realizavam com todo seu rigor, e onde o calor reduzia as rochas a um estado de completa fusão? Eu estava temeroso, então, disse ao professor:

– Se não nos afogarmos, não ficarmos exauridos ou não morrermos de fome, ainda nos resta a possibilidade de sermos queimados vivos.

Ele se contentou em dar de ombros e voltou às suas reflexões.

Uma hora se passou, e, exceto por um leve aumento da temperatura, nenhum incidente modificou nossa situação. Meu tio finalmente quebrou o silêncio.

– Vejamos – ele disse –, precisamos tomar uma decisão.

– Tomar uma decisão? – repliquei.

– Sim, precisamos recuperar nossas forças. Se tentarmos prolongar nossa existência em algumas horas ao economizar esse resto de comida, ficaremos fracos até o fim.

– Pois é, até o fim, que não vai demorar a chegar.

– Ora! Se nos deixarmos enfraquecer pela inanição, onde encontraremos forças para agir se uma chance de salvação se apresentar, se um momento de ação for necessário?

– Mas, meu tio, uma vez devorado este pedaço de carne, o que vai nos sobrar?

– Nada, Axel, nada. Mas ele vai alimentá-lo melhor se o comer com os olhos? Você está raciocinando como um homem sem vontade, um ser sem energia!

– Então, o senhor não está desesperado? – perguntei, irritado.

– Não – respondeu firmemente o professor.

– O quê? Ainda acredita em alguma chance de salvação?

– É claro que acredito! Enquanto o coração ainda bate, enquanto a carne ainda palpita, não admito que um ser dotado de vontade ceda espaço ao desespero.

Que palavras! O homem que as pronunciava em semelhantes circunstâncias tinha de fato uma natureza incomum.

– Mas, então – eu disse –, o que o senhor pretende fazer?

– Comer o que nos resta até a última migalha e restaurar as nossas forças perdidas. Que essa refeição seja nossa última! Pelo menos, em vez de estarmos esgotados, teremos voltado a ser homens.

– Bom, vamos comer! – exclamei.

Meu tio pegou o pedaço de carne e os únicos biscoitos que tinham escapado do naufrágio. Fez três porções iguais e as distribuiu. Equivalia a cerca de quatrocentos e cinquenta gramas de alimento para cada um. O professor comeu avidamente, com um ardor febril. Eu o fiz sem prazer, apesar da fome, e quase com desgosto. Hans comia tranquila e moderadamente, mastigando sem barulho pequenas porções e saboreando-as com a calma de um homem que não pode ser abalado pelas preocupações do futuro. Bisbilhotando bem, ele havia descoberto um cantil meio cheio de gim, que nos ofereceu, e esse licor salutar teve a força de me reanimar um pouco.

– *Förtrafflig!* – disse Hans ao beber.

– Excelente! – respondeu meu tio.

Voltei a ter alguma esperança. Mas nossa última refeição acabava de ser terminada. Eram cinco horas da manhã.

O homem é feito de tal modo que sua saúde tem um efeito puramente negativo. Uma vez que a necessidade de comer é satisfeita, dificilmente imaginamos os horrores da fome. É preciso senti-los para entendê-los. Assim, ao sairmos de um longo jejum, alguns bocados de biscoito e de carne venceram nossas dores passadas.

No entanto, depois daquela refeição, cada um se deixou levar pelas suas reflexões. Com o que Hans sonhava, esse homem do extremo Ocidente que tinha a resignação fatalista dos orientais? Quanto a mim, meus pensamentos não eram senão lembranças, e estas me conduziam à superfície deste globo, que eu nunca deveria ter deixado. A casa da Königstrasse, minha pobre Grauben e a boa Marthe passaram como aparições diante de meus olhos, e, em meio aos ruídos lúgubres que corriam através do maciço, eu acreditava encontrar o barulho das cidades.

Quanto ao meu tio, sempre em meio aos seus projetos, segurava a tocha e examinava com atenção a natureza dos terrenos. Tentava entender sua situação por meio da observação das camadas sobrepostas. Esse cálculo, ou melhor, essa estimativa, podia ser apenas bem aproximativa. Mas um cientista é sempre um cientista quando consegue conservar o sangue-frio. E é claro que o professor Lidenbrock possuía essa qualidade em um grau incomum.

Escutava-o murmurar palavras da ciência geológica. Eu as compreendia e me interessava, a contragosto, por aquele estudo supremo.

– Granito eruptivo – ele dizia. – Ainda estamos na época primitiva. Mas estamos subindo! Estamos subindo! Quem sabe?

Quem sabe? Ele ainda tinha esperanças. Com a mão, tateava a parede vertical. Um tempo depois, continuou:

– Eis aqui as gnaisses, os micaxistos! Bom! Em breve serão os terrenos da época da transição! E depois...

O que o professor queria dizer? Ele podia medir a espessura da crosta terrestre suspensa acima de nossas cabeças? Ele tinha algum meio de fazer aquele cálculo? Não. Estava sem o manômetro, e nenhuma estimativa podia suplantá-lo.

No entanto, a temperatura aumentava em grande proporção, e eu me sentia banhado por uma atmosfera ardente. Só conseguia compará-la ao calor liberado pelas fornalhas de uma fundição quando está em pleno funcionamento. Pouco a pouco, Hans, meu tio e eu precisamos tirar nossos paletós e coletes. A menor vestimenta causava mal-estar, para não dizer sofrimento.

– Estamos subindo em direção a um centro incandescente? – perguntei quando o calor redobrou.

– Não – respondeu meu tio –, é impossível! É impossível!

– Mas esta muralha está queimando! – eu disse, apalpando a parede.

No momento em que pronunciei essas palavras, encostei a mão na água e tive de retirá-la o mais rápido possível.

– A água está queimando! – exclamei.

Dessa vez, o professor respondeu apenas com um gesto de cólera.

E então um pavor invencível dominou meu cérebro e não o deixou mais. Eu sentia que uma catástrofe se aproximava, tal qual a imaginação mais audaciosa não podia nem mesmo conceber. Uma ideia primeiramente vaga e incerta tomou conta da minha mente. Eu a repeli, mas ela voltou com obstinação. Não ousava formulá-la. No entanto, algumas observações involuntárias foram determinantes para minha convicção. À luz indefinida da tocha, observei alguns movimentos desordenados nas camadas de granito. Um fenômeno com certeza aconteceria, e a eletricidade tinha um papel fundamental nisso. E também havia aquele calor excessivo, aquela água fervente... Decidi observar a bússola. Ela tinha enlouquecido!

CAPÍTULO 43

Sim, tinha enlouquecido! A agulha pulava de um polo para o outro com espasmos bruscos, percorria todos os pontos do quadrante e girava como se sentisse vertigens.

Eu sabia bem que, segundo as teorias mais aceitas, a crosta mineral do globo nunca se encontra em estado de repouso absoluto. As modificações provocadas pela decomposição dos materiais internos, a agitação proveniente das grandes correntes líquidas e a ação do magnetismo tendem a abalá-la continuamente, por mais que os seres espalhados pela superfície nem sintam essa agitação. Em outras condições, esse fenômeno não me deixaria assustado nem me traria uma ideia terrível à mente.

Mas outros fatos e detalhes *sui generis* não conseguiram me enganar por muito tempo. As detonações se multiplicavam com uma intensidade apavorante. Era comparável apenas ao barulho de um grande número de carroças arrastadas velozmente no pavimento. Era um trovão contínuo.

Além disso, a bússola enlouquecida, abalada pelos fenômenos elétricos, confirmava minha opinião. A crosta mineral ameaçava se romper, os maciços graníticos ameaçavam se unir novamente, a fissura ameaçava se fechar, o vazio se preencher, e nós, pobres átomos, seríamos esmagados naquele aperto terrível.

– Meu tio, meu tio! – exclamei. – Estamos perdidos!

– Que novo pavor é esse? – ele me questionou com uma calma surpreendente. – O que você tem?

– O que tenho? Note essas muralhas que se agitam, esse maciço que se desloca, esse calor tórrido, essa água que ferve, essa agulha maluca, todos os indícios de um terremoto!

Meu tio balançou a cabeça suavemente.

– Um terremoto? – ele perguntou.

– Sim!

– Meu rapaz, creio que está enganado!

– Como assim? O senhor não reconhece esses sintomas?

– De um terremoto? É claro que não. Estou esperando algo bem melhor que isso!

– O que o senhor quer dizer?

– Uma erupção, Axel.

– Uma erupção! – exclamei. – Estamos na chaminé de um vulcão ativo?

– Creio que sim! – disse o professor, sorrindo. – E é o melhor que poderia nos acontecer!

O melhor? Meu tio teria ficado maluco? O que significavam aquelas palavras? Por que aquela calma e aquele sorriso?

– Como assim? – exclamei. – Estamos presos no meio de uma erupção! A fatalidade nos jogou no caminho de lavas incandescentes, de rochas em chamas, de águas ferventes, de todo tipo de matérias eruptivas! Vamos ser repelidos, expulsos, jorrados, expelidos, lançados ao ar entre pedaços de chamas, chuvas de cinzas e escórias num turbilhão de chamas! E isso é o melhor que poderia nos acontecer?

– É claro – respondeu o professor, observando-se por sobre os óculos. – Pois é nossa única chance de voltar à superfície da Terra!

Repassei rapidamente os mil pensamentos que me atravessavam a mente. Meu tio estava certo, completamente certo, e ele nunca me pareceu mais audacioso e convencido do que naquele momento, em que esperava e calculava com calma as chances de uma erupção.

Enquanto isso, continuávamos a subir. A noite passou naquele movimento ascendente. O estrondo ao redor crescia. Estava quase sufocado, pensava ter chegado à minha última hora de vida, e, no entanto, a imaginação é algo tão estranho que eu me dedicava a uma questão realmente infantil. Mas não controlava meus pensamentos, apenas os suportava!

Era evidente que estávamos sendo repelidos por um impulso eruptivo. Sob a jangada havia águas ferventes, e sob elas toda uma massa de lava, um agregado de rochas que, ao chegar ao topo da cratera, se dispersariam em todos os sentidos. Estávamos, portanto, na chaminé de um vulcão. Disso não havia dúvida.

Mas, dessa vez, em vez de um vulcão extinto como o Sneffels, tratava-se de um vulcão em plena atividade. Eu me perguntava, então, que montanha poderia ser essa e em que parte do mundo seríamos expulsos.

Nas regiões setentrionais, sem dúvida. Antes de enlouquecer, a bússola nunca tinha deixado de apontar nessa direção. Depois do cabo Saknussemm, tínhamos sido arrastados diretamente ao norte durante centenas de quilômetros. Será que havíamos voltado para debaixo da Islândia? Seríamos repelidos pela cratera do Hekla ou por um dos outros sete montes ignívomos da ilha? Dentro de um raio de dois mil e quinhentos quilômetros, eu não sabia de nenhum outro vulcão a oeste naquele paralelo além daqueles pouco conhecidos da América. Ao leste, existia apenas um, a oitenta graus de latitude, o Esk, na ilha de Jan Mayen, não muito longe de Spitzbergen! Crateras não faltavam, algumas espaçosas o bastante para expelir exércitos inteiros! Mas eu não parava de me perguntar qual nos serviria como saída.

De manhã, o movimento ascendente ficou mais veloz. Se o calor crescia em vez de diminuir com a aproximação da superfície da Terra, era porque se tratava de um calor completamente local e devido a uma influência vulcânica. Nosso meio de locomoção não poderia me deixar qualquer dúvida. Uma força enorme, uma força de várias centenas de atmosferas, produzida pelos vapores acumulados no centro da Terra, nos impulsionava incontrolavelmente. Mas a quantos perigos ela nos expunha!

Em pouco tempo, reflexos amarelados penetraram na galeria vertical que se alargava. Eu via por todos os lados corredores profundos, semelhantes a túneis imensos, de onde saíam vapores espessos. Línguas cintilantes de chama lambiam as paredes.

– Veja, veja, meu tio! – exclamei.

– São chamas sulfurosas. Nada de mais natural numa erupção.

– Mas e se nos cercarem?

– Não vão nos cercar.

– E se sufocarmos?

– Não vamos sufocar. A galeria se expande e, se for preciso, abandonaremos a jangada para nos abrigar em alguma fenda.

– E a água? E a água que está subindo?

– Não tem mais água, Axel, mas uma espécie de massa de lava que nos ergue consigo até o orifício da cratera.

A coluna líquida realmente havia desaparecido, dando lugar a matérias eruptivas bastante densas, algumas ferventes. A temperatura se tornou insustentável, e um termômetro exposto àquela atmosfera teria marcado mais de setenta graus! Eu estava inundado de suor. Sem a velocidade da subida, com certeza teríamos sido asfixiados.

O professor tinha desistido da ideia de abandonar a jangada, no que fez muito bem. Mesmo que mal ligadas, aquelas vigas ofereciam uma superfície sólida, um ponto de apoio que não teríamos em nenhum outro lugar.

Perto das oito da manhã, aconteceu um novo incidente pela primeira vez. O movimento para cima parou de repente. A jangada ficou completamente imóvel.

– O que houve? – perguntei, trêmulo por aquela parada súbita como que por um choque.

– Uma pausa – respondeu meu tio.

– Será que a erupção se acalmou?

– Tomara que não.

Levantei-me. Tentei olhar ao redor. Talvez, detida por uma saliência rochosa, a jangada estivesse opondo uma resistência momentânea à massa eruptiva. Nesse caso, era preciso se apressar para soltá-la o quanto antes.

Não era nada disso. A coluna de cinzas, escórias e fragmentos rochosos tinha parado de subir por conta própria.

– Será que a erupção parou? – perguntei.

– Ah! – disse meu tio entredentes. – Não precisa ter medo, meu filho. Fique tranquilo, esse momento de calma não vai se prolongar. Já durou cinco minutos, e, em pouco tempo, vamos retomar nossa subida rumo ao orifício da cratera.

Enquanto falava, o professor não parava de consultar o cronômetro e, mais uma vez, devia ter razão em seus prognósticos. Logo a jangada retomou um movimento rápido e desordenado que durou cerca de dez minutos e voltou a parar.

– Bom – disse meu tio, olhando a hora –, em dez minutos vai voltar a subir.

– Dez minutos?

– Sim. Estamos num vulcão com erupções intermitentes. Ele nos permite respirar junto com ele.

Ele estava certo. Na hora apontada, fomos lançados novamente com extrema rapidez. Precisamos nos agarrar às vigas para não sermos jogados para fora da jangada. Mais uma vez o impulso se deteve.

Depois, refleti sobre aquele fenômeno singular sem nunca encontrar uma explicação satisfatória. No entanto, parece-me evidente que não estávamos na cratera principal do vulcão, mas numa passagem secundária, na qual se sentia um efeito de repercussão.

Não sei dizer quantas vezes essa manobra se repetiu. Só posso afirmar que, a cada retomada de movimento, éramos lançados com uma força crescente, como se transportados por um verdadeiro projétil. Durante os momentos de pausa, ficávamos sufocados; durante os de projeção, o ar ardente me tirava a respiração. Pensei por um momento no prazer que seria me encontrar de repente nas regiões hiperbóreas num frio de trinta graus abaixo de zero. Minha imaginação agitada passeava pelas planícies de neve das regiões árticas, e eu não via a hora de rolar pelos tapetes glaciais do polo! Abalado pelos impulsos repetitivos, ia perdendo a cabeça pouco a pouco. Não fossem os braços de Hans, mais de uma vez teria batido o crânio contra a parede de granito.

Não guardei nenhuma memória precisa do que aconteceu nas horas seguintes. Tenho a impressão confusa de detonações contínuas, da agitação do maciço, de um movimento giratório que arrebatou a jangada. Ela ondulou pelas ondas de lava, em meio a uma chuva de cinzas. As chamas estrepitosas a envolveram. Um furacão, que parecia provocado por um ventilador imenso, agitava as chamas subterrâneas. Uma última vez a figura de Hans me apareceu dentro de um reflexo de incêndio, e não tive outra sensação além do pavor sinistro dos condenados presos a uma bala de canhão no momento em que o tiro é disparado e espalha seus membros pelos ares.

CAPÍTULO 44

Quando reabri os olhos, senti a mão vigorosa do guia na minha cintura. Com a outra ele segurava meu tio. Eu não estava gravemente ferido, mas sofria de uma dor mais generalizada. Vi que estava deitado na encosta de uma montanha, a dois passos de um abismo sobre o qual poderia cair a qualquer momento. Hans tinha salvado minha vida enquanto eu descia rolando pelos flancos da cratera.

– Onde estamos? – perguntou meu tio, que me pareceu extremamente irritado por estar de volta à superfície.

O caçador ergueu os ombros para dizer que não sabia.

– Na Islândia? – perguntei.

– *Nej* – Hans respondeu.

– Como não? – gritou o professor.

– Hans deve estar enganado – eu disse, levantando-me.

Depois das inúmeras surpresas daquela viagem, havia ainda mais um assombro reservado para nós. Estava esperando ver um cone coberto de neves eternas, no meio das regiões setentrionais áridas e desabitadas, sob os raios pálidos de um céu polar, acima das latitudes mais altas, mas, em vez disso, contra todas as minhas previsões, eu, meu tio e o islandês tínhamos caídos no meio da encosta de uma montanha calcinada pelos ardores do sol, que nos devorava com suas chamas.

Não conseguia acreditar em meus próprios olhos. Mas a sensação real de estar sendo cozido não abria margem para dúvidas. Tínhamos saído seminus da cratera, e o astro radiante, de quem não tínhamos pedido nada em dois meses, mostrava-se ao nosso olhar pródigo de luz e calor, banhando-nos com os fluxos de uma irradiação esplêndida.

Quando meus olhos se habituaram àquele clarão ao qual se tinham desacostumado, usei-os para corrigir os erros da minha imaginação. Acreditava estar no mínimo em Spitsbergen, e não queria ceder facilmente.

O professor foi o primeiro a falar:

– É verdade, isso não lembra em nada a Islândia.

– Que tal a Ilha de Jan Mayen? – sugeri.

– Também não, meu rapaz. Esta montanha não tem as colinas de granito nem as calotas de neve dos vulcões do norte.

– Mas...

– Olhe, Axel, olhe!

Acima de nossas cabeças, a no máximo cento e cinquenta metros, abria-se a cratera de um vulcão pelo qual saíam, de quinze em quinze minutos, com uma força extrema de detonação, uma alta coluna de chamas misturadas a púmices, cinzas e lavas. Eu sentia as convulsões da montanha, que respirava como uma baleia, e, de tempos em tempos, lançava ar e fogo por seus respiradouros gigantescos. Para baixo, descendo um declive muito íngreme, as camadas de matérias eruptivas estendiam-se a uma profundidade de duzentos a duzentos e cinquenta metros, o que significava que o vulcão não deveria ter muito mais do que seiscentos metros de altura. Sua base desaparecia numa verdadeira cobertura de árvores verdes, entre as quais eu distinguia oliveiras, figueiras e vinhas carregadas de uvas vermelhas.

Tinha de admitir que nada daquilo tinha o aspecto das regiões árticas.

Além daquele recinto verdejante, o olhar logo se perdia nas águas de um mar ou lago admirável, que tornava aquela terra encantada uma ilha de não muitos quilômetros. Ao leste, via-se um pequeno porto depois de algumas casas, no qual navios de formatos peculiares balançavam ao sabor das ondas azuis. Mais além, grupos de ilhotas despontavam na planície líquida, tão numerosos que pareciam um enorme formigueiro. A oeste, as costas distantes se arredondavam no horizonte; algumas eram perfiladas por montanhas azuis de conformação harmoniosa; em outras, mais distantes, surgiam cones de picos espantosamente altos do qual saíam fios de fumaça. Ao norte, uma imensa extensão de água cintilava sob os raios de sol, revelando aqui e ali a ponta de um mastro ou a curva de uma vela inflada pelo vento.

O caráter imprevisto daquele espetáculo multiplicava ainda mais suas belas maravilhas.

– Onde estamos? Onde estamos? – repetia a meia-voz.

Hans fechou os olhos com indiferença, e meu tio olhava sem entender.

– Qualquer que seja essa montanha – ele disse, finalmente –, está quente demais. As explosões não pararam, e seria melhor sairmos de perto da erupção para não levarmos uma pedrada na cabeça. Vamos ter que descer para conseguir nos orientar. Inclusive, estou morto de fome e sede.

O professor definitivamente não era do tipo contemplativo. Quanto a mim, esquecendo a necessidade e a exaustão, teria ficado parado por mais algumas horas, mas tinha de seguir meus companheiros.

As encostas do vulcão tinham inclinações muito íngremes. Escorregávamos em verdadeiros charcos de cinzas, evitando os rios de lava que se estendiam como serpentes de fogo. Enquanto descia, falava sem parar, pois minha imaginação estava cheia demais para não escapar pela boca.

– Estamos na Ásia – exclamei –, nas costas da Índia, nas ilhas da Malásia, em plena Oceania! Não atravessamos metade do globo para chegar às antípodas da Europa.

– Mas... e a bússola? – indagou meu tio.

– Sim, a bússola! – eu disse, envergonhado. – De acordo com ela, seguíamos sempre ao norte.

– Será que ela mentiu?

– Como iria mentir?

– A menos que estejamos no polo norte!

– O polo não, mas...

Estava aí um fato inexplicável. Só me restava imaginar.

Enquanto isso, aproximávamo-nos daquela vegetação que dava gosto de olhar. A fome e a sede me atormentavam. Felizmente, depois de duas horas de caminhada, um lindo campo se abriu diante de nós, totalmente coberto de oliveiras, romãzeiras e videiras que poderiam ser de qualquer lugar do mundo. Além disso, em nosso estado, não estávamos em condições de examinar melhor o terreno. Que prazer foi espremer aquelas frutas saborosas nos lábios e morder com gosto as uvas das videiras vermelhas! Não muito longe, na relva, à sombra deliciosa das árvores, encontrei uma nascente de água fresca, onde mergulhamos o rosto e as mãos com vontade.

Enquanto nos entregávamos assim a todas as doçuras do repouso, uma criança surgiu entre duas copas de oliveiras.

– Ah – exclamei –, um habitante deste lugar encantado!

Era uma espécie de pastorzinho, vestido de forma miserável, com aspecto doentio, que pareceu muito assustado com nossa aparência. De fato, seminus, com as barbas por fazer, estávamos em péssimo estado, e, a menos que aquela fosse uma região de ladrões, tínhamos tudo para assustar seus habitantes.

No momento em que o garotinho ia fugir, Hans correu até ele e, apesar de seus gritos e pontapés, o arrastou até nós.

Meu tio esforçou-se para acalmar o menino, e lhe disse em bom alemão:

– Qual é o nome dessa montanha, amiguinho?

O menino não respondeu.

– Bom – disse meu tio –, não estamos na Alemanha então.

E repetiu a mesma pergunta em inglês.

O garoto também não entendeu. Eu estava bastante intrigado.

– Será que é mudo? – questionou o professor, que, muito orgulhoso de ser poliglota, repetiu a mesma pergunta em francês.

O mesmo silêncio do garoto.

– Vamos tentar italiano – retomou meu tio, e disse o mesmo nesta língua: – *Dove noi siamo?*

– Sim, onde estamos? – repeti com impaciência.

O garoto não respondeu.

— Ah, não sabe falar? — exclamou meu tio, tomado pela fúria e chacoalhando o menino pelas orelhas. — *Come se noma questa isola?*

— Stromboli — respondeu o pastorzinho, que escapou das mãos de Hans e saiu correndo pela planície de oliveiras.

Nem pensávamos mais nele. Stromboli! Que impacto esse nome inesperado produziu em minha imaginação! Estávamos em pleno Mediterrâneo, no meio das ilhas Eólias, chamada de Strongyle na mitologia, onde Éolo acorrentava os ventos e tempestades. E aquelas montanhas azuis que se estendiam ao leste eram as montanhas da Calábria! E o vulcão que se erguia no horizonte sul era o Etna, o indomável Etna.

— Stromboli! Stromboli! — repeti.

Meu tio me acompanhou com gestos e palavras. Parecíamos cantar em coro!

Ah, que viagem! Que viagem estupenda! Depois de entrar por um vulcão, tínhamos saído por outro, situado a mais de mil quilômetros do Sneffels, lançados da região árida da Islândia para os confins do mundo! Os acasos daquela expedição tinham nos transportado para o seio de uma das regiões mais harmoniosas da Terra! Tínhamos trocado a região de neves eternas pela de vegetação infinita, e deixado para trás as brumas acinzentadas das regiões glaciais para chegar ao céu azul da Sicília!

Depois de uma refeição deliciosa composta de frutas e água fresca, voltamos a caminhar para chegar ao porto de Stromboli. Não nos pareceu prudente revelar como tínhamos chegado à ilha. O espírito supersticioso dos italianos nos veria como demônios expelidos do centro dos infernos.

Portanto, deveríamos nos resignar a nos passar por humildes náufragos. Era menos glorioso, mas mais seguro.

Feito o caminho, ouvi meu tio murmurar:

– Mas a bússola! A bússola apontava para o norte! Como explicar esse fato?

– Ora – retruquei com desdém –, não precisa explicar, é mais fácil.

– Essa não! Seria uma vergonha um professor de Johannaeum não encontrar o motivo para um fenômeno cósmico!

Falando dessa forma, meu tio, mesmo seminu, com a bolsa de couro pendurada na cintura e os óculos apoiados no nariz, voltou a ser o terrível professor de mineralogia.

Uma hora depois de sair do bosque de oliveiras, chegamos ao porto de San Vincenzo, onde Hans pediu o pagamento de sua décima terceira semana de serviço, que lhe foi entregue com apertos de mão calorosos.

Naquele momento, mesmo não compartilhando da nossa emoção natural, Hans se deixou levar por um raro momento de expansividade.

Apertou nossas mãos levemente com a ponta dos dedos e abriu um sorriso.

CAPÍTULO 45

Eis a conclusão de uma narrativa, a qual, até aqueles que não se espantam com nada, vão se recusar a acreditar. Mas já estou blindado contra a incredulidade humana.

Fomos recebidos pelos pescadores estrombolianos com os cuidados dignos de náufragos. Eles nos deram roupas e alimentos. Depois de quarenta e oito horas de espera, no dia 31 de agosto, uma pequena *speronare* nos levou até Messina, onde nos recuperamos com alguns dias de descanso.

Na sexta-feira, 4 de setembro, embarcamos no *Volturne*, um dos transatlânticos postais das Messageries Impériales da França e, três dias depois, desembarcamos em Marselha, tendo apenas um incômodo em mente, nossa maldita bússola. Esse fato inexplicável não parava de me atormentar. Na noite de 9 de setembro, chegamos a Hamburgo.

Nem consigo descrever a estupefação de Marthe ou a alegria de Grauben.

– Axel, agora que você é um herói – disse minha querida noiva –, não vai precisar mais me abandonar!

Olhei para ela, que chorava e sorria ao mesmo tempo.

Deixo em aberto a sensação causada pelo retorno do professor Lidenbrock. Graças às indiscrições de Marthe, a notícia da sua partida rumo ao centro da Terra já havia se espalhado por todo o mundo. Ninguém quis acreditar, nem mesmo quando ele retornou.

No entanto, a presença de Hans e diversas informações provenientes da Islândia foram mudando a opinião pública aos poucos.

Então, meu tio se tornou um grande homem, e eu, o sobrinho de um grande homem, o que já é alguma coisa. Hamburgo deu uma festa em nossa homenagem. Houve uma sessão pública em Johannaeum, em que o professor fez o relato de sua expedição, omitindo apenas os fatos relativos à bússola. No mesmo dia, depositou nos arquivos da cidade o documento de Saknussemm e lamentou que as circunstâncias, mais fortes que seu desejo, não o tivessem permitido seguir os passos do viajante islandês até o centro da Terra. Foi modesto em sua glória, e sua reputação só cresceu.

Tanta honra sempre suscita inveja. Foi o que aconteceu, e, como suas teorias, apoiadas por fatos concretos, contradiziam os sistemas científicos sobre o fogo central, geraram grandes discussões por escrito e presencialmente com eruditos de todos os países.

Já eu, ainda não consigo aceitar sua teoria de resfriamento. Apesar do que vi, acredito, e vou continuar acreditando, no calor central. No entanto, admito que determinadas circunstâncias ainda mal explicadas podem modificar essa lei relativa à ação dos fenômenos naturais.

Quando essas discussões estavam em seu ápice, meu tio sofreu uma grande tristeza. Apesar de sua insistência, Hans havia deixado Hamburgo. O homem a quem tanto devíamos não quis nos deixar pagar nossa dívida. Estava tomado de saudades da Islândia.

– *Färval* – ele disse um dia, e, com essa simples palavra de adeus, partiu para Reykjavik, aonde chegou bem.

Tínhamos nos afeiçoado muito ao nosso valente caçador de êideres. Sua ausência jamais fará que dele nos esqueçamos, afinal, ele salvou nossas vidas e, sem dúvida, ainda hei de visitá-lo uma vez antes de morrer.

Para concluir, devo acrescentar que essa "Viagem ao centro da Terra" causou uma grande sensação em todo o mundo. Foi publicada e traduzida em todas as línguas. Os jornais mais respeitados disputaram seus principais episódios, que foram comentados, discutidos, atacados e defendidos com igual convicção no meio entre crédulos e incrédulos. Era uma coisa rara meu tio desfrutar ainda em vida toda a glória que havia conquistado, e até Barnum se propôs a levá-lo aos Estados Unidos pagando um preço alto!

Mas havia um problema, diria até um tormento, que perpassava toda essa glória. Um fato continuava sem explicação, o da bússola. Para um cientista, um fenômeno inexplicável como esse se torna um suplício para a mente. Mas o céu havia reservado a felicidade completa ao meu tio.

Certo dia, arrumando a coleção de minerais do seu escritório, vi aquela famosa bússola e comecei a observá-la.

Fazia seis meses que estava lá, em seu canto, sem desconfiar da inquietação que causava.

De repente, qual não foi minha surpresa! Soltei um berro. O professor veio correndo.

– O que foi? – perguntou.

– Essa bússola!

– O que tem?

– A agulha dela está indicando o sul, e não o norte!

– Como assim?

– Olhe, seus polos estão trocados.

– Trocados?

Meu tio observou, comparou e fez a casa tremer com um pulo sublime.

Uma luz se acendeu em nossas mentes.

– Então – ele exclamou ao recuperar a voz –, desde que chegamos ao cabo Saknussemm, a agulha dessa maldita bússola marcava o sul, em vez do norte?

– É evidente.

– Então nosso erro está explicado. Mas que fenômeno foi produzir essa inversão dos polos?

– Nada mais simples.

– Explique-se, meu rapaz.

– Durante a tempestade, no mar Lidenbrock, aquela bola de fogo que imantou o ferro da jangada simplesmente desorientou nossa bússola!

– Ah! – exclamou o professor, caindo em gargalhadas. – Então tudo não passou de um circuito de eletricidade?

A partir daquele dia, meu tio foi o mais feliz dos cientistas, e eu, o mais feliz dos homens, pois minha bela virlandesa, tendo abdicado de sua posição de pupila, assumiu na casa da Königstrasse a dupla função de sobrinha e esposa. Nem preciso acrescentar que seu tio era o ilustre professor Otto Lidenbrock, membro correspondente de todas as sociedades científicas, geográficas e mineralógicas de todos os cantos do mundo.

Compartilhando propósitos e conectando pessoas
Visite nosso site e fique por dentro dos nossos lançamentos:
www.novoseculo.com.br

facebook/novoseculoeditora
@novoseculoeditora
@NovoSeculo
novo século editora

Edição: 1
Fonte: Adelle

gruponovoseculo.com.br